MEGA
MONSTRUM

Książki

Davida Walliamsa

BABCIA RABUŚ

BABCIA RABUŚ. WYDANIE JUBILEUSZOWE

PAN SMRODEK

CHŁOPAK W SUKIENCE

DEMONICZNA DENTYSTKA

WIELKA UCIECZKA DZIADKA

SZCZUROBURGER

CWANA CIOTUCHNA

MAŁY MILIARDER

GANG GODZINY DUCHÓW

TREFNY TATUŚ

POTWÓR Z ARKTYKI

CÓŚ

BESTIA Z PAŁACU BUCKINGHAM

GLUCIAK

BABCIA RABUŚ POWRACA!

Zbiory opowiadań z kolorowymi ilustracjami:

NAJGORSZE DZIECI ŚWIATA

NAJGORSZE DZIECI ŚWIATA 2

NAJGORSI NAUCZYCIELE ŚWIATA

NAJGORSI RODZICE ŚWIATA

David Walliams

MEGA MONSTRUM

Ilustracje
Tony Ross

Z języka angielskiego przełożyła
Karolina Zaremba

First published in English in Great Britain by HarperCollins *Children's Books*,
a division of HarperCollins*Publishers* Ltd. under the title
MEGAMONSTER.

Wydanie pierwsze, maj 2024

Korekta
Małgorzata Majewska

Skład i łamanie
Trevo, Grażyna Martins

Przygotowanie do druku okładki
Izabela Surdykowska-Jurek

Wydawca
Dom Wydawniczy MAŁA KURKA
wydawnictwo@malakurka.pl
www.malakurka.pl

ISBN 978-83-62745-92-0

Dla mojego najdroższego Alfreda.

Dziękuję, że wymyśliłeś tytuł tej książki.

Kocham Cię nieskończenie.

Tata x

WAMDZIĘKOWANIA
PRAGNĘ PODZIĘKOWAĆ:
ANN-JANINE MURTAGH
wydawczyni
CHARLIEMU REDMAYNE'OWI
dyrektorowi naczelnemu
TONY'EMU ROSSOWI
mojemu ilustratorowi
PAULOWI STEVENSOWI
mojemu agentowi literackiemu
HARRIET WILSON
mojej redaktorce
KATE BURNS
redaktorce artystycznej
SAMANCIE STEWART
redaktorce prowadzącej

VAL
BRATHWAITE
dyrektorce kreatywnej
ELORINE
GRANT
wicedyrektorce artystycznej
MATTHEW
KELLY'EMU
projektantowi
SALLY
GRIFFIN
projektantce
KATE
CLARKE
projektantce
HANNAH
MARSHALL
projektantce
GERALDINE
STROUD
dyrektorce działu PR
TANYI
HOUGHAM
producentce plików audio
David Walliams

WSTĘP

Hen daleko, w nieznanej nikomu i spowitej mgłą czasu krainie, na szczycie ogromnej czarnej skały wyrastającej spośród spienionych morskich fal stoi stare zamczysko. Kamienna twierdza przycupnęła niepewnie na wierzchołku wulkanicznej wyspy. Nikt nie wie, kiedy wulkan wybuchł po raz ostatni ani kiedy znowu się przebudzi.

Wzniesiony w zamierzchłych czasach zamek służy teraz jako szkoła – i to nie byle jaka. Tutaj właśnie posyła się najniegrzeczniejsze dzieci na świecie. Zwie się ją **AKADEMIĄ BEZLITOSNĄ**.

Wyspę od stałego lądu dzielą dziesiątki kilometrów, a w otaczających ją głębinach roi się od wygłodniałych rekinów, gotowych pożreć rozbrykane dzieciaki jednym kłapnięciem. Stamtąd nie ma ucieczki.

W **AKADEMII BEZLITOSNEJ** czyhają na uczniów same okropności. Nauczyciele sieją postrach, szkolne obiady budzą wstręt, a lekcje wywołują senne koszmary.

Jeśli jeszcze nie obleciał Cię strach, czytaj dalej.

POZNAJCIE BOHATERÓW TEJ OPOWIEŚCI...

DZIECI

HECA

Nasza bohaterka zasłużyła sobie na ten przydomek ciągłymi wygłupami. Po prostu nie umie się powstrzymać przed psotami! Uwielbia płatać figle, a rozśmieszanie innych sprawia jej największą radość.

KLOC

Uczęszczający do **AKADEMII BEZLITOSNEJ** wielki chłopak, któremu brak kilku zębów. Ma również złamany nos i ucho jak kalafior. Czy przerażający swoim wyglądem olbrzym jest tak naprawdę dzieciakiem o gołębim sercu?

SKOREK

Najmniejszy i chyba najwredniejszy łobuz w całej szkole.

FANGA

Dziewczynka o największych pięściach. Ciągle w kiepskim humorze.

ŚWIRKA

Prawdopodobnie pochodzi z innej planety. Zawsze palnie coś odjechanego.

SWĄDEK

Ten chłopiec stara się utrzymać status najsmrodliwszego ucznia w całej szkole — o ile nie na całym świecie. Gdzie się ruszy, tam w ślad za nim podąża cuchnąca brązowa chmura.

WRZAWA

Dziewczynka, która zawsze ma coś do powiedzenia i mówi to NIEZWYKLE GŁOŚNO!

DOROŚLI

DOKTORKA DOKTUR

Tajemnicza nauczycielka o ptasiej urodzie wykłada w **AKADEMII BEZLITOSNEJ** przedmioty ścisłe. Kobieta o przenikliwych oczkach i haczykowatym nosie ubiera się w powiewającą niczym ogromne skrzydła pelerynę. Wzbudza w uczniach paniczny strach. Każdy, kto zostanie z nią po lekcjach, zmienia się nie do poznania.

MRUK

Asystent doktorki Doktur. Porozumiewa się z otoczeniem samymi pomrukami. HMM! Jedno mruknięcie na tak. Dwa na nie. Więcej niż dwa mruknięcia i nikt nie rozumie, o co mu chodzi, nawet on sam. Mruk jest łysy jak kolano i nosi bardzo osobliwą perukę – jednonogą kotkę o imieniu Licho, która siedzi mu na czubku głowy.

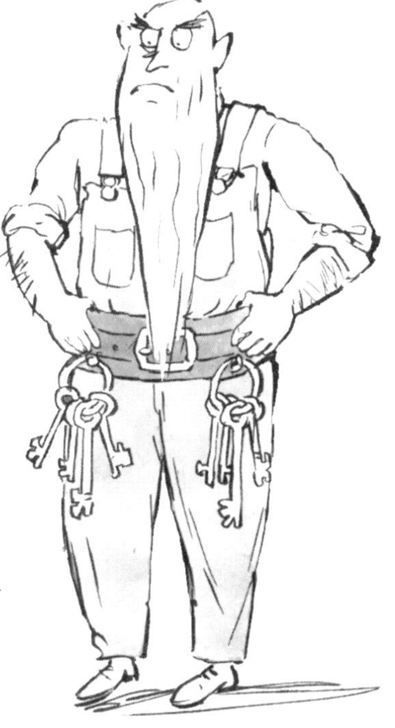

WŚCIUB

Upiorny dozorca. Wysoki i barczysty, z brodą sięgającą aż do pępka. Ma przypięte do pasa największe pęki kluczy, jakie kiedykolwiek widzieliście.

PROFESORKA DOKTUR

Profesorka Doktur to leciwa matka doktorki Doktur. Od niepamiętnych czasów pełniła funkcję dyrektorki **AKADEMII BEZLITOSNEJ**, ale – co dziwne – od lat nikt jej nie widział. Niektórzy twierdzą, że dawno temu zniknęła ze szkoły w niewyjaśnionych okolicznościach.

POPŁUCZYNA

Szkolna bufetowa z piekła rodem. Szczyci się serwowaniem posiłków, które wyskakują z żołądków zaraz po zjedzeniu.

PANNA UMOCZEK

Bibliotekarka **AKADEMII** kochająca nie książki, lecz herbatniki.

PANNA CZŁAPALSKA

Paskudna nauczycielka z poprzedniej szkoły Hecy. Nienawidzi dziewczynki z całego serca.

PRZEWOŹNIK

Zakapturzona postać, której zadaniem jest dowożenie dzieci na wulkaniczną wyspę, gdzie mieści się **AKADEMIA BEZLITOSNA**.

CYFERKA

Nauczyciel matematyki. Jedna z jego dłoni wykonana jest z metalu i ma sześć palców. Pan Cyferka dysponuje w sumie jedenastoma palcami u rąk, ale wydaje mu się, że jest ich tylko dziesięć. Dlatego za każdym razem, kiedy przy rozwiązywaniu zadań liczy na palcach, myli się w rachunkach, przez co jego biednym uczniom też nic nigdy się nie zgadza.

PAN SMOŁA

Nauczyciel plastyki. Jego znaki rozpoznawcze to: czarne jak smoła włosy, czarna spiczasta bródka i czarne stroje. Uczniom pozwala malować wyłącznie czarną farbą.

PANNA KULKA

Organizowane przez nią zajęcia WF-u są tak brutalne, że uczniowie trafiają po nich prosto do gabinetu pielęgniarki.

PAN GĄSZCZ

Brodaty pan od geografii, którego niezawodną metodą nauczania jest wprowadzanie niebezpieczeństw czyhających w otaczającym świecie bezpośrednio do klasy.

PANNA GLĘDZIK

Nauczycielka prowadzi lekcje w języku, który sama wymyśliła – języku paplańskim. Sęk w tym, że paplańskiego nijak nie da się zrozumieć, bo to zwykła paplanina. Każdy uczeń piszący sprawdzian z tego przedmiotu jest z góry skazany na porażkę.

I ostatni, choć nie mniej ważny

ROBAK

Niechlujny ogrodnik nosi przezwisko Robak, bo zawsze ma poutykane w kieszeniach robaki. Większość czasu spędza w szopie na rozsadzaniu roślin do doniczek i nie rozmawia z nikim poza swoimi żyjątkami. Sam kiedyś był uczniem **AKADEMII BEZLITOSNEJ** i całe życie przebywał właśnie tutaj.

BESTIARIUSZ

LICHO

Najpodlejsza kotka, jaka chodziła po świecie. Licho ma tylko jedno oko i jedną łapę, ale za to zakończoną najdłuższymi, najostrzejszymi i najgroźniejszymi pazurami, jakie można sobie wyobrazić. Kocica nie zawaha się ich użyć. Mieszka na łysej głowie Mruka.

SKRZEK

Skrzek to pelikan przykuty łańcuchem do najwyższej baszty zamczyska. Ptak zastępuje szkolny dzwonek, który zepsuł się wiele lat temu. Swoim skrzekiem oznajmia rozpoczęcie oraz zakończenie szkolnego dnia.

ROBALEK

Robalek to zwierzątko domowe ogrodnika Robaka. Jak łatwo zgadnąć, jest zwykłym małym robaczkiem.

I wreszcie…

MEGAMONSTRUM!*

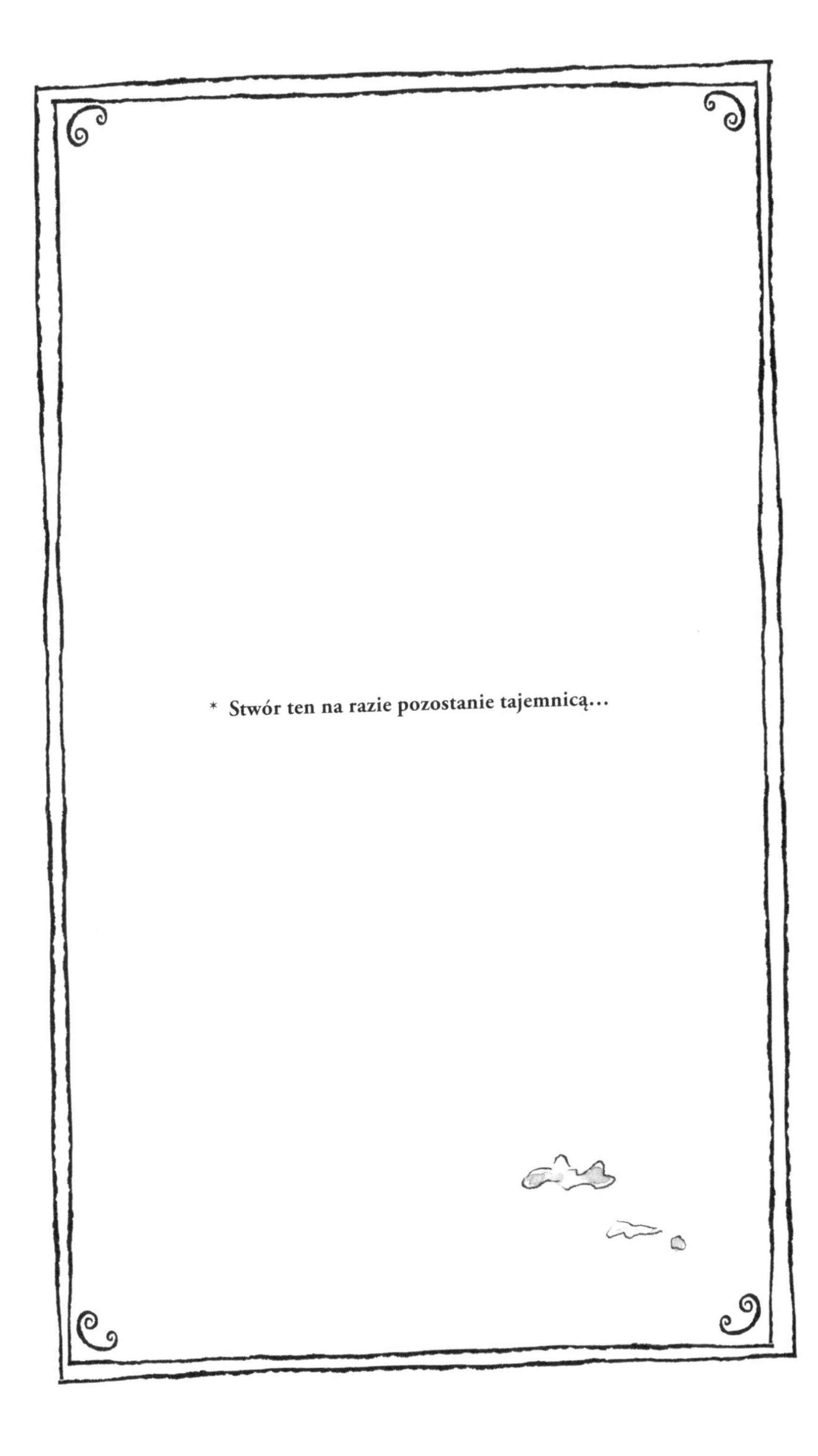

* Stwór ten na razie pozostanie tajemnicą…

CZĘŚĆ
PIERWSZA
PROSTO W MROK

Rozdział 1

HECA

Dawno, dawno temu gdzieś w odległej krainie stare molo wyciągało swe długie drewniane ramię w morską toń. Nasza przygoda rozpoczyna się pewnej niespokojnej nocy, kiedy ciemności rozpraszało tylko blade światło księżyca, a ciszę przerywało jedynie chlupotanie wzburzonych fal pod deskami pomostu.

Na tle srebrnej tarczy dało się dostrzec dwie postacie stojące na molo, niską i wysoką. Obie wpatrzone w rozkołysane morze.

Jedna z nich to dziewczynka, niska jak na swój wiek, z promiennie psotnym uśmiechem. Pojawiła się tam w znoszonej **budrysówce**,

narzuconej na podarty szkolny mundurek. W butach miała tyle dziur, że prościej należałoby powiedzieć, że są dziurami w kształcie butów.

Była sierotą. Nosiła imię Heca. Właściwie nie jest to jej prawdziwe imię, ale skoro wszyscy tak na nią wołali, my też będziemy ją tak nazywać. Przezwisko wzięło się stąd, że *Heca* stale prowokowała jakieś hece.

— Dlaczego ośmiornica nie może klapnąć sobie na taborecie? — spytała i **uśmiechnęła się pod nosem.**

— Starczy już tych durnowatych żartów, Heco. Chyba dostałaś nauczkę! — warknęła wyższa postać, pani nauczycielka, niejaka Człapalska. Kobieta przycisnęła do oka swój monokl. Jej głowę zdobiła fryzura wyglądająca tak, jak gdyby została wystylizowana za pomocą nożyc i odpowiedniej wielkości garnka.

— Bo nie ma zadniej strony!

— Mało śmieszne! — prychnęła Człapalska.

— Myślę, że każdy żarcik będzie bawić, jeśli znajdzie się w nim coś wspólnego z „zadkiem"!

— ZABRANIAM CI UŻYWAĆ SŁOWA „ZADEK"!

— „Zadek"? — upewniła się Heca z zawadiackim uśmiechem.

— TAK! „ZADEK"!

— Ale, proszę pani, sama pani go użyła!

— Owszem, powiedziałam: „zadek", ale tylko po to, żeby przypomnieć ci, że masz nie mówić: „zadek"!

— Właśnie powtórzyła pani „zadek" kolejne dwa razy!

— PRZESTAŃ MÓWIĆ: „ZADEK"! — Człapalska aż tupnęła nogą z irytacji.

TUP!

Nadgniłe drewniane deski molo zatrzeszczały od uderzenia.

SKRZYP!

Kobieta mocno oparła się o ramię dziewczynki, żeby nie stracić równowagi.

PACH!

— Proszę pani...?

— Co znowu?

— Wie pani, co odróżnia nauczycieli od słodyczy?

— Nie wiem i mam to gdzieś!

— Dzieci lubią słodycze!

— ZATKAJ DZIÓB!

— Mama i tata nauczyli mnie, że trzeba się **śmiać**, nawet w ciężkich czasach!

— Ale ich tu nie ma, prawda? Ani słowa więcej!

Heca smutno spuściła głowę. Każdego dnia czuła w sercu ból po stracie rodziców. Dlatego tak bardzo lubiła żartować. Wiedziała, co to smutek, i starała się innym go oszczędzić. Kiedy kogoś uszczęśliwiała, sama czuła się szczęśliwa.

Nagle spośród mgły, która otulała morską otchłań niczym ciężka zasłona, wyłoniła się długa, napędzana wiosłami, drewniana łódź.

Człapalska zerknęła na zegarek.

— Aha! W samą porę. Co noc, punktualnie o północy, przypływa tu łódź z **AKADEMII BEZLITOSNEJ**, żeby odebrać niesforne dziecko.

U wioseł siedziała tajemnicza zakapturzona postać.

Heca wstrzymała oddech.

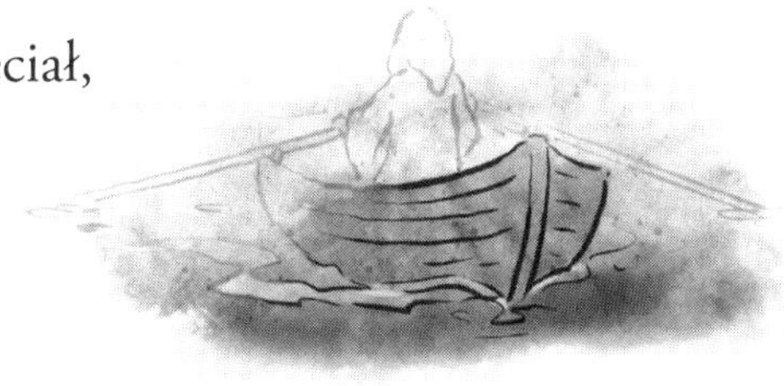

— Strach cię obleciał, co? — ucieszyła się nauczycielka.

— Nie, nie! — skłamała dziewczynka. — Tylko czuję się deczko **bekastycznie**. — To powiedziawszy, wydusiła z siebie mały beczek. — **BEK!** Od razu lepiej! — dodała i postukała się pięścią po klatce piersiowej. — Bardzo się cieszę na tę wyprawę. Wprost nie mogę się doczekać! **AKADEMIA BEZLITOSNA!** Zapowiada się dobra *zabawa.* Mam jedno małe pytanko.

— Tak?

— Długo tam pobędę?

Człapalska uśmiechnęła się upiornie.

— Tylko do końca życia!

Rozdział 2

KTO SIĘ ŚMIEJE OSTATNI

Przepraszam, panno Człapalska — wydukała dziewczynka — ale czy pani powiedziała, że zostanę tam do końca życia? Planuję pożyć naprawdę długo!

— Dawniej krnąbrne dzieci wracały z **AKADEMII BEZLITOSNEJ**, gdy przestawały być nieznośne — wyjaśniła podła belferka. — Ale teraz zostają tam na dobre.

— W takim razie będę musiała **UCIEC**!

— **UCIECZKA** stamtąd jest niemożliwa.

— Nie ma rzeczy niemożliwych! — oznajmiła Heca.

W tym momencie do krańca molo przybiła łódź z **AKADEMII BEZLITOSNEJ**. Sterująca nią, zakapturzona postać rzuciła pannie Człapalskiej linę, której koniec kobieta prędko przywiązała do pomostu. Tajemniczy ktoś wyciągnął chudą dłoń i zacisnął kościste palce na nadgarstku dziewczynki. Ich dotyk wydawał się dziwnie lodowaty.

Hecy przemknęła przez głowę myśl, żeby spływać, a nawet zwiewać gdzie pieprz rośnie. Ale z paluchami panny Człapalskiej wczepionymi w jej ramiona mogła o tym jedynie pomarzyć.

Dziewczynka nigdy wcześniej nie płynęła łodzią, więc pod wpływem kołysania w tę i we w tę od razu poczuła się bardzo nieswojo. Kiedy zakapturzony człowiek nie ujawnił swojej twarzy, a tylko skinieniem kościstego palca nakazał Hecy usiąść, jej żołądek jeszcze bardziej się zacisnął.

— Trzymaj się, Heco! — rzuciła pogardliwie nauczycielka. — Oto jaki los spotyka bachory, które podkładały dyrektorce szkoły poduszki pierdziuszki!

— Setny raz powtarzam, to nie byłam ja!

— Wiem! — odpowiedziała kobieta z wrednym uśmieszkiem.

— Skąd?

— Ha! Sama podrzuciłam tę zabaweczkę! — zaświergotała uradowana Człapalska, machając czerwoną poduszką.

— PANNO CZŁAPALSKA! JAK PANI MOGŁA?!

— Dzięki temu nareszcie pozbędę się z naszej szkoły ciebie i twoich hec! Raz na zawsze!

— ALE…

— Ten się śmieje, kto się śmieje ostatni!

Panna Człapalska ścisnęła poduszkę pierdziuszkę, która wydała z siebie brzydki odgłos.

PFFFT!

— HA! HA! — zaśmiało się złośliwe babsko. — Tobie się za to oberwało!

Przewoźnik gestem nakazał jej odcumować łódź.

— Pan pozwoli! — zaoferowała z szelmowskim błyskiem w oku Heca. Pogmerała przy linie i zawołała: — Gotowe! Proszę pani?

— Tak?

— Ja zawsze śmieję się ostatnia.

Przewoźnik zaczął wiosłować, ale lina nadal była przywiązana do molo i łódka mocno nim szarpnęła.

SZARP!

Pomost się rozpadł.

KRACH!

I runął do morza.

CHLUP!

Panna Człapalska chlupnęła wraz z nim prosto w zimne odmęty.

— AAA! — wrzasnęła i spróbowała z powrotem wdrapać się na resztki przystani.

— HA! HA! A nie mówiłam? — parsknęła Heca.

Zakapturzony jegomość, zupełnie tym wszystkim niewzruszony, wiosłował coraz dalej przez atramentowoczarne morze.

Wybrzeże w mgnieniu oka zniknęło w gęstej mgle.

Po plecach dziewczynki przebiegł dreszcz. Czyżby naprawdę miała na zawsze utknąć w **AKADEMII BEZLITOSNEJ?** Musiała jakoś **nawiać**.

Heca nie potrafiła pływać, ale tym razem gotowa była zaryzykować. Teraz albo nigdy.

Im dłużej zwlekała, tym brzeg stawał się odleglejszy.

Serce waliło jej jak młotem.

BUM! BUM! BUM!

Poderwała się na nogi i wyskoczyła z łodzi wprost do morza.

PLUSK!

— ACH! — wyrwało jej się, gdy dotknęła lodowatej wody.

Stylem, który można by nazwać „zdesperowanym pieskiem", oddalała się od łodzi – jak chciała wierzyć – w kierunku molo.

Rozpaczliwie walcząc o utrzymanie się na powierzchni, zauważyła jednak, że coś wielkiego zaczęło pruć przez fale w jej stronę.

Bez trudu rozpoznała tę płetwę.

To mogło być tylko jedno.

REKIN!

Rozdział 3

OTOCZONA

Heca z całych sił starała się zawrócić ku łodzi.

— RATUNKU! — Ten okrzyk zabrzmiał dość zabawnie po tym, jak sama rzuciła się w morskie fale.

Od celu dzielił ją drugi rekin. A za nim trzeci! I czwarty!

Dziewczynkę okrążyły czarne płetwy. Lada chwila mogła skończyć jako POKARM DLA REKINÓW.

— POMOCYYY! — wrzasnęła przeraźliwie, kiedy jedna z wielkich bestii zaczęła ocierać się o jej nogi.

Heca zacisnęła mocno powieki.

Poczuła, że coś szturcha ją w ramię, ale wolała

nie patrzeć. Może to nos rekina! Lekkie uderzenie powtórzyło się jeszcze raz. Wtedy otworzyła jedno oko i dostrzegła koniec wiosła. Tajemniczy przewoźnik przypłynął jej z pomocą! Dziewczynka kurczowo chwyciła się drewnianego kija. Łódź holowała ją przez fale, a drapieżniki kłapały wokół jej pięt.

KŁAP! KŁAP! KŁAP!

SZSZUUU!

Kiedy znalazła się przy burcie, a zakapturzony jegomość wciągał ją na pokład, największy i chyba najgłodniejszy z rekinów zdążył jeszcze zatopić ostre jak brzytwa zębiszcza w jesionce dziewczynki.

CHAPS!

Przemoczona do suchej nitki Heca upadła na dno łodzi, tymczasem jej płaszcz zniknął pod powierzchnią wody.

— Nigdy za nim nie przepadałam — zażartowała.

Towarzysz podróży oczywiście nie zareagował. Nawet nie prychnął.

Dziewczynka skuliła się na ławce w zimnym mokrym ubraniu.

Przewoźnik powiosłował przez mgłę, podczas gdy rekiny walczyły między sobą o dziecięcą kapotę.

— Jakieś wyjątkowo zziębnięte osobniki.

Nadal cisza.

— No wie pan! To było dowcipne! Trudna z pana widownia, panie przewoźniku. Mam dla pana jeszcze jeden żart. Co powiedział rekin, kiedy połknął błazenka? Chyba się wygłupiłem. Nie? A jakie życiowe motto ma rekin młot? Nic na siłę, wszystko młotkiem. Co się stanie, jeśli skrzyżujemy rekina z krową? Nie wiem, ale nie chciałabym jej doić! Dalej nic? Przecież to petardy!

Milczący przewoźnik rytmicznie wiosłował dalej.

Heca skupiła się na podziwianiu otaczającej ich mgły. Kiedy wytężyła słuch, miała wrażenie, że z oddali dobiega jakieś terkotanie, coś jak cykanie zegara – tylko głośniejsze.

TIK-TAK! TIK-TAK!

— Czy pan też to słyszy? — spytała, ale zaraz pokręciła głową. Nie było sensu oczekiwać odpowiedzi. — Nieważne. Proszę mnie obudzić, gdy nareszcie dotrzemy do tego wesołego miasteczka!

Przymknęła oczy i udawała, że śpi. Nagle przeszył ją straszliwy chłód. Zerwał się porywisty wiatr, a nad horyzontem zawisły ciężkie czarne chmury. Piorun gruchnął w morze o rzut kamieniem od łodzi.

Od fal odbił się odgłos gromu.

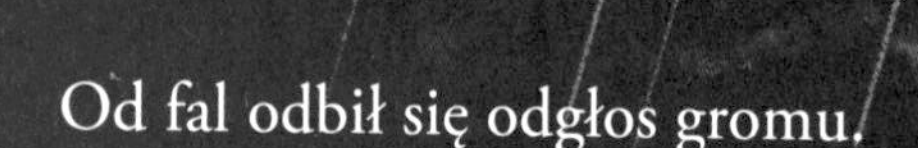

Morze zaczęło się kłębić i huśtało łodzią tak, jakby siedzieli w rozpędzonym wagoniku kolejki górskiej.

Heca rozpaczliwie wczepiła się brudnymi paznokciami w drewniany kadłub.

Przewoźnik nie zwalniał tempa. Chociaż lunęło jak z cebra, a łódź zaczynała nabierać wody, uparcie wiosłował dalej.

Aż wreszcie z szalejącego sztormu wyłoniła się

AKADEMIA BEZLITOSNA.

Rozdział 4

AKADEMIA BEZLITOSNA

Ponura sylwetka zamczyska górowała nad wybrzeżem. Twierdza, usadowiona na wyrastającej z morza wulkanicznej skale, wyglądała, jakby przez stulecia – bez ładu i składu – dobudowywano do niej kolejne elementy. Była gmatwaniną wież i wieżyczek w stylu gotyckim, którą z powodzeniem mógłby zamieszkiwać ród wampirów. Jednak **AKADEMIA BEZLITOSNA** dawała schronienie całkiem innym straszydłom.

Najniegrzeczniejszym dzieciom na świecie.

Heca nie zaliczyłaby siebie do tej grupy. Odróżniała dobro od zła. A dowcipkowanie to nie zbrodnia. Tymczasem wkrótce miała zamieszkać w gromadzie najniegrzeczniejszych spośród wszystkich urwisów. Hordzie gagatków rodem z HORRORÓW!

Przewoźnik przywiązał łódź do skały, a dziewczynka rozejrzała się za schodami, które wiodłyby do zamku. Zamiast tego zobaczyła koniec najdłuższej na świecie drabiny linowej.

Zakapturzony człowiek gestem nakazał jej rozpocząć wspinaczkę. Fale rozbijały się o głazy i rozbryzgiwały wokół morską pianę.

CHLUST!

— Skoro pan nalega! — Podskoczyła i mocno chwyciła drabinę.

S K R Z Y P!

Stara lina napięła się pod ciężarem Hecy. W przemoczonym ubraniu drobniutka dziewczynka była dwa razy cięższa.

Głodne rekiny usiłowały z dołu chapsnąć ją za kostki.

KŁAP! KŁAP! KŁAP!

Czyżby te same krwiożercze bestie? Nie miała czasu na dociekania. Zaczęła krok po kroku przesuwać się po mokrych szczebelkach. Im wyżej, tym dalej od ostrych zębów.

Jednak w połowie drogi doszło do KATASTROFY!

Wilgotne podeszwy butów ześlizgnęły się z drabinki.

ŚLIZG!

— AAAJ! — krzyknęła, spadając na łeb na szyję.

SZUUUUU!

Zdołała chwycić się ostatniego ze szczebli, zanim olbrzymi rekin wyskoczył z wody i rzucił się ku niej z rozdziawioną paszczą.

CHAPS!

Pomimo wyczerpania, na widok żarłocznych szczęk dziewczynka poczuła gwałtowny przypływ energii. Rzuciła się w górę po drabince, jakby od tego zależało jej życie. I tak właśnie było!

SZKRZYP! SZKRZYP! SZKRZYP!

Chwilkę później znalazła się na szczycie skały. Uradowana faktem, że uniknęła śmierci przez pożarcie, ucałowała zimną mokrą ziemię. A gdy tylko podniosła wzrok, zobaczyła metalowe noski dwóch buciorów.

— Witamy w **AKADEMII BEZLITOSNEJ** — odezwał się czyjś głos. — I życzymy nieprzyjemnego pobytu.

Rozdział 5

WŚCIUB

Wstawaj! — warknął głos.

Heca zerwała się na równe nogi. Z początku pomyślała, że nadal klęczy, bo sięgała nieznajomemu zaledwie do pasa. Twarz dziewczynki znalazła się naprzeciwko wielkiego pęku kluczy. Gdy nieznajomy się wyprostował, żelastwo przyczepione do jego skórzanego paska rąbnęło Hecę – BUCH! – prosto w nos.

SZCZĘK!

— AUĆ! Grywa pan na fortepianie? — spytała.

Barczysty mężczyzna pokręcił przecząco głową.

— Nie! Skąd to pytanie?

— Bo nosi pan ze sobą całą gamę **kluczy** wiolinowych.

Mężczyzna swoim rozmiarem i tężyzną pasowałby na cyrkowego atletę. Przypominał szafę upchniętą w spodnie ogrodniczki. Jego twarz zakrywała sięgająca aż do pępka, potargana broda, a stojący za nim zamek wyglądał jak rzucany przez niego gigantyczny cień.

— Więc ty jesteś tą numerantką, co podłożyła dyrektorce poduszkę pierdziuszkę!

— To nie byłam ja! — protestowała Heca.

— Każdy tak mówi — zadrwił brodacz.

— Zrobiła to nasza nauczycielka!

— Akurat! Nazywam się Wściub i jestem tu dozorcą.

— Mam dla pana żarcik.

— Daruj sobie.

— Dlaczego zwolniono poprzedniego dozorcę? Bo zamiatał pod dywan!

— Mało wyszukane!

TIK-TAK! TIK-TAK!

Znowu to samo! Ten sam dźwięk, który dziewczynka słyszała w łódce.

— Co to takiego? — spytała.

— Niby co?

— To!

— Znaczy się?

— Niech pan nadstawi uszu. Słyszy pan tykanie?

TIK-TAK! TIK-TAK!

Po chwili milczenia Wściub odpowiedział stanowczo:

— NIE! Po czym poznać, że bzikujesz? Słyszysz rzeczy, których nie ma.

GGGRRRUUUMMMPPPHHH!

Gdzieś pod nimi rozległ się głęboki pomruk, a ziemia zadrżała.

MRUK-BURK-DUDUM!

— Ale to na pewno pan słyszał! — wykrzyknęła Heca.

— A tak! Tego sobie nie zmyśliłaś.

— Co to było?

— Wulkan. Stoimy na nim.

Dziewczynka zerknęła pod nogi.

— Kto buduje zamek na szczycie wulkanu?

— Pewnie działka niewiele kosztowała.

— Nawet jeśli!

— Bez obaw. Wulkan od setek lat trwa w uśpieniu.

— A jeśli już się wyspał?!

— Staruszek może i czasem pomruczy, ale nie ma powodu do niepokoju. A teraz chodźmy. Wskażę ci twój pokój — rzekł z wymownym prychnięciem.

Wściub poprowadził Hecę w głąb mrocznego zamczyska niekończącymi się, ciemnymi i zawilgoconymi korytarzami, których kamienne ściany rozświetlał mizerny blask pochodni. Było już po północy, więc większość uczniów z pewnością spała. Wokół rozlegały się dźwięki pochrapywania i prukania.

— CHRRRR!

PFFFT!

— CHRRRRR!

PFFFT!

— CHRRRR!

PFFFT!

Dziewczynka czuła się bardziej jak w zoo niż w szkole, i takie też zapachy dolatywały do jej nosa!

SMRODOSMAGORIA!*

Kiedy dotarli do potężnych drewnianych drzwi, dozorca przeszperał pęk brzęczących kluczy, aż znalazł ten właściwy.

BRZĘK! SZCZĘK!

— Ufam, że zakwaterowanie spotka się z aprobatą Waszej Wysokości! — rzekł z kolejnym prychnięciem, gdy otwierał ciężkie wrota.

Za nimi ukazał się zimny, smętny pokoik ze słomianym materacem na łóżku i ustawionym w kącie zardzewiałym wiadrem.

---

*Prawdziwe zmyślone słowo, odnotowane w największym i najlepszym zbiorze słów — niezawodnym Walliamsowniku.

— Muszę wziąć namiary na waszego dekoratora wnętrz! — zażartowała Heca.

Wściub zmarszczył czoło.

— Na żarcikach daleko nie zajedziesz. Takie figlary jak ty **ZOSTAJĄ PO LEKCJACH**.

— Kiedyś musiałam zostać po lekcjach przez kurczaka!

— Co ty bredzisz?

— Powiedziałam: „kurczę", a nauczycielka tego NIE ZNIOSŁA!

— Jeśli taka kara spotka cię w **AKADEMII BEZLITOSNEJ**, na pewno nie będzie ci do śmiechu. Dzieciaki, które **ZOSTAJĄ PO LEKCJACH**, przechodzą nieodwracalną przemianę.

— Co ma pan na myśli? — zaniepokoiła się dziewczynka.

— Jeszcze parę takich pytań, a sama się Wasza Wysokość przekona. Dobranoc, pchły na noc, a karaluchy pod poduchy. Dosłownie.

— Jak to?

— Dołączą do ciebie, gdy tylko się położysz!

Wystarczyło zerknąć na siennik, żeby zobaczyć, że roiło się na nim od robali.

S Z C Z Y P! S Z C Z Y P!

DRAP! DRAP!

WIERCU-WIERT!

Heca klapnęła na łóżko i od razu poczuła swędzenie na calutkim ciele. A wszystkie swędzące miejsca też dostały świerzbiącej wysypki!

Co gorsza, w brzuchu zaburczało jej jak w otchłani bezdennego bagniska.

BULGOTU-BULGOTU!

— Tylko wulkan! — skomentował złośliwie Wściub.

— Nie. Mój brzuch. Głodna jestem!

— Domyśliłem się — parsknął.

— I co w tym zabawnego? Zamierza pan tak stać i patrzeć, jak konam z głodu?

— Chętnie bym popatrzył, ale nie mam czasu. Śniadanie podadzą o świcie.

— Dziękuję.

— Jest OHYDNE!

Dozorca wykuśtykał z pokoju, a ciężkie drewniane drzwi zatrzasnęły się za nim z hukiem.

— Wygląda na to, że będę musiała uciec — oznajmiła Heca.

— To niemożliwe.

— Nie ma rzeczy niemożliwych!

Tym razem odpowiedzią było tylko pobrzękiwanie kluczy, bo mężczyzna już zniknął w czeluściach korytarza.

BRZĘK! BRZDĄK! BRZDĘK!

Kiedy wielki brudny szczur przebiegł jej po twarzy, jeszcze mocniej utwierdziła się w przekonaniu, że za wszelką cenę musi stamtąd jak najszybciej prysnąć.

Rozdział 6
SKRZEK!

Ledwo zmrużyła oczy, gdy ze snu wyrwał ją ogłuszający hałas.

— SKRZEK!

I znowu głośniej.

— SKRZEK!

I trzeci raz, jeszcze przeraźliwiej.

— SKRZEK!

Heca poderwała się z siennika. Odwróciła do góry dnem zardzewiałe wiadro i wspięła się na nie, żeby wyjrzeć przez okno.

Nad wyspą świtało. Wilgotne czarne mury twierdzy migotały w przymglonym świetle poranka. Na skraju klifu stała stara rozklekotana szopa. Dziewczynka dostrzegła w drzwiach zarys postaci, która patrzyła w jej kierunku.

Nieznajomy ktoś prędko się wycofał.

Przejmujący skrzek wydobywał z siebie morski ptak z olbrzymim dziobem. Był to pelikan. Zwierzę zostało w nieludzki sposób przywiązane u szczytu jednej z wieżyczek, żeby nie mogło odlecieć, a skrzeczenie wymuszano szturchnięciami. Z włazu w dachu wychylał się Wściub i dźgał biedne stworzenie kijem od mopa.

DZIUG!

— **SKRZEK!**

DZIUG!

— **SKRZEK!**

DZIUG!

— **SKRZEK!**

Rzeczy najwyraźniej miały się tu całkiem inaczej. Można by się spodziewać pobudki wraz z porannym pianiem koguta albo przy dźwiękach dzwonu czy biciu w gong, ale nie. Nie tutaj.

W **AKADEMII BEZLITOSNEJ**

okrutne traktowanie spotykało nawet niewinnego pelikana.

To był wstrząsający widok. Nie tylko Heca powinna wiać stąd gdzie pieprz rośnie…

Nagle drzwi od pokoju się otworzyły.

S K R Z Y P!

— POBUDKA! — zawołał Wściub.

— W nocy łaził tutaj szczur.

— Tylko jeden?

— Tak. Co zrobi szczur, kiedy zdradzi mu się sekret? Nie piśnie ani słowem.

— Skoro lubisz szczury, śniadanie na pewno przypadnie ci do gustu. Do stołówki w tę stronę!

Heca podążyła we wskazanym paluchem kierunku i dołączyła do chmary niegrzeszących czystością dzieciaków, które szczodrze rozdawały sobie kuksańce, kiedy maszerowały korytarzem.

— NIENAWIDZĘ CIĘ!

— A TY ŚMIERDZISZ!

— TO ZARAZ CIĘ ZASMRODZĘ!

W **AKADEMII BEZLITOSNEJ** każdy martwił

się tylko o czubek własnego nosa. Dzieci, które były podle traktowane przez dorosłych, z takim samym okrucieństwem odnosiły się do siebie nawzajem.

Heca szła ze spuszczoną głową. Jako nowa uczennica wolała nie zwracać niczyjej nadmiernej uwagi.

— KOMU SPRZEDAĆ KOPA?

— SPRÓBUJ TYLKO, TO ZOBACZYSZ!

— KTÓRY SIĘ ZESMRODZIŁ?!

— SWĄDEK!

Smrodliwość otaczających ją dzieciaków wydawała się niczym w porównaniu z fetorem, jaki zaatakował Hecę na stołówce.

Powstała tam istna

ŚCIANA SMRODU!

Dziewczynka stanęła jak wryta. Poczuła, że jeśli uczyni choć krok, z pewnością się udławi, zemdleje albo zwymiotuje. Albo wszystko naraz.

Za jej plecami stłoczyła się ciżba gotowych chuliganić chłopaków i nieustępujących im w rozrabianiu pannic. Wygłodniali jak wataha wilków, przeciskali się, żeby czym prędzej dostać posiłek, i wepchnęli dziewczynkę do jadalni.

— ODSUŃ SIĘ!

— CO TY, ŚPISZ?!

— PRZYŁÓŻ JEJ, TO SIĘ NAUCZY!

Heca zatkała nos. Odór był porażający.

Ale i tak nie dał rady przebić…

obrzydliwego

smaku!

Rozdział 7

DUSZONE KARALUCHY

Menu wypisano kredą na tablicy. Na swoje pierwsze śniadanie w **AKADEMII BEZLITOSNEJ** Heca mogła wybrać spośród następujących specjałów:

sok z robali →

w zestawie z…

gotowanym albatrosem

duszonymi karaluchami

żukami gnojowymi smażonymi w głębokim oleju

szczurzymi bobkami w słonej zalewie →

prażonymi kołtunami

brudem zza paznokci stóp na grzance

gotowaną meduzą

jajami rekina

Dla poszukiwaczy prawdziwie egzotycznych smaków serwowano także owsiankę na żółwich glutach!

Wszystko popijało się kubkiem gorącej herbatki z mewich odchodów.

TOTALNA FUJOZA!

A na deser wjeżdżały żwirowe ciasteczka na wynos, formowane z prawdziwych kamyków!

Heca uważnie przyjrzała się paskudztwom za kontuarem. Była głodna, ale nie spróbowałaby z tego nawet okruszka. Podczas gdy hałaśliwe i niedomyte dzieciaki w pośpiechu napełniały talerze, ona skrzywiła się na samą myśl o degustacji którejś z potraw.

— CZEGO? — warknęła zza lady zasuszona bufetowa. Starsza kobiecina pogubiła wszystkie zęby, poza jednym, przez co wykazywała uderzające podobieństwo do ogra. Brzmiała też jak ogr. Jej niegdyś biały fartuch pokrywały konstelacje plam. Przypominał wielobarwny płaszcz świętego Józefa, tyle że we wszystkich odcieniach brązu. Pomiędzy kleksami na materiale dało się dostrzec wyhaftowane imię – Popłuczyna. Pasowało jak ulał.

— Ależ wszystko apetycznie wygląda, pani... eee, Popłuczyno — odezwała się Heca, zakrywając nos ręką.

— WYSTARCZY: POPŁUCZYNO!

— Aromat też sprawia, że aż łza się w oku kręci. Popłuczyno, mam dla pani dowcip!

— Nie znoszę dowcipów.

— Co krowy jadają na śniadanie? Wyłącznie płatki „Muuusli"!

— Nie kumam.

— Myszy lubią płatki ryżowe, a bałwany wolą płatki śniegu! Skoro już o płatkach mowa, czy mogłabym poprosić porcję kukurydzianych?

Dziewczynka dorzuciła mały, lecz pełen nadziei uśmiech. Może, przy odrobinie szczęścia, zdoła oczarować ogrzycę?

Niestety nie.

— PŁATKÓW KUKURYDZIANYCH! — zdziwiła się Popłuczyna, po czym powtórzyła, tym razem głośniej: — PŁATKI KUKURYDZIANE?!

Usadowione przy długim stole i opychające się śniadaniem bachory spojrzały w ich stronę i nadstawiły uszu.

— PŁATKI KUKURYDZIANE?! — krzyczała bufetowa.

— Tak — odpowiedziała Heca. — Płatki kukurydziane. Czyli ziarna kukurydzy, tyle że, no wiadomo, w formie płatków!

— JAŚNIE PANI ŻYCZY SOBIE PŁATKÓW!

Porcja śniadaniowych chrupek bynajmniej nie wydawała się posiłkiem godnym osobistości z wyższych sfer, ale uczniowie i tak ryczeli ze śmiechu.

— HA! HA! HA!

Heca, która stała się pośmiewiskiem, miała ochotę natychmiast zapaść się pod ziemię. Uwielbiała, kiedy wszyscy śmiali się WRAZ Z NIĄ – to uczucie najlepsze na świecie. Ale kiedy z niej się NAŚMIEWANO – wtedy było najgorzej. Przez chwilę zastanawiała się, czy nie dać nura do gigantycznego kotła z herbatą z mewich bobków, jednak prędko się opamiętała.

— W **AKADEMII BEZLITOSNEJ** nie serwujemy takich frykasów! — zagrzmiała Popłuczyna. — Pamiętaj, że trafiłaś tu, bo tak jak i te łobuzy ostro nabroiłaś. Jedzenie jest częścią kary!

Gdy kobieta nachyliła się bliżej, Heca znów usłyszała to samo **tykanie**, co na łodzi i przy spotkaniu z dozorcą.

— Co tak hałasuje? — spytała.

— Ja tam nic nie słyszę.

— A ja zdecydowanie słyszę jakiś dziwny dźwięk.

Bufetowa uśmiechnęła się pod nosem, po czym wydobyła z głębi trzewi coś mrocznego i zabójczego.

Wypuściła z siebie absolutnie ogłuszający bek, i to prosto Hecy w twarz!

BEK!

Fala smrodu zwaliła dziewczynkę z nóg.

— A to słyszałaś? — rzuciła kobieta.

— O, tak. Głośno i wyraźnie!

— I dobrze! W **AKADEMII BEZLITOSNEJ** przewidziano jeden posiłek dziennie. Oto on. Zabieraj swoją porcję i szuraj stąd!

Popłuczyna wielką chochlą chlapnęła do brudnej miski porcję owsianki.

Breja z żółwich smarków zbryzgała dziewczynkę od stóp do głów.

— OJĆ! — skomentowało babsko z wrednym uśmiechem, błyskając swym ostatnim zębem.

Oczywiście wywołało to dodatkową salwę szyderczego śmiechu.

— HA! HA! HA!

Heca westchnęła. Trudno gorzej zacząć
pierwszy dzień
w nowej szkole.

Rozdział 8

NIEWYSŁOWIONE ZBRODNIE

Heca niczym komik w niemym kinie zamaszystym gestem starła z oczu smarki.

CHLAP! PLASK!

— Ten bek to jeszcze nic! — zawołał chłopak sprawiający wyjątkowo smrodliwe wrażenie. — Posłuchajcie tego!

Sekundę później po stołówce rozszedł się grzmot najgłośniejszej zadkoeksplozji, jaką kiedykolwiek słyszeliście.

KABUUUM!

Dzieciaki wyły ze śmiechu…

— HA! HA! HA!

Hecę spowiła zawiesisto gęsta, brunatna chmura.

— Wielka szkoda, że prukanie nie zalicza się do sportów olimpijskich — skomentowała dziewczynka, niuchnąwszy powietrze. — Zdobyłbyś złoty medal!

— TEN SIĘ SKADZIŁ, KTO ZAPASZEK ZDRADZIŁ! — wykrzyknął chłopiec.

— KTO ZRYMOWAŁ, TEN ZBOMBARDOWAŁ! — odgryzła się Heca.

— Lepiej nie zaczynaj! — wtrąciła dziewczyna obdarzona dłońmi wielkimi jak stopy olbrzyma. — Swądek zna wszystkie odzywki!

Ale pojedynek już się zaczął.

— KTO KOMENTUJE, TEN SIĘ PRUJE! — rzucił Swądek.

— KTO POCZUŁ, TEN WYTOCZYŁ! — odpowiedziała Heca. Całkiem dobrze się bawiła.

Chłopiec zmrużył oczy w zamyśleniu.

— PRZYPOMINANIE RÓWNA SIĘ PRZYZNANIE!

— Przebił cię, nie ma co!

Heca zastanowiła się przez chwilę.

— KTO SUGERUJE, TEN NA BANK SMRODKUJE!

— A tego nie znam! — przyznała uczennica kibicująca rozgrywce.

— KTO SIĘ SPINA, TEGO WINA! — Zadowolony z siebie Swądek był przekonany, że riposty nie będzie!

Heca zacisnęła powieki i przeszukała encyklopedię przechowywanych w pamięci dowcipów.

— OSTATNIĄ ODZYWKĘ TEN ZIOMEK SERWUJE, CO GAZUJE!

Chłopak myślał i myślał, aż w końcu pokręcił głową.

— PRZEBIŁAŚ SWĄDKA! — zszokowała się postawna koleżanka.

Wśród dzieciaków rozległ się cichy szmer podziwu. Trochę jak muczenie stada krów.

— **UUUU!**

— To ja poszukam sobie miejsca — stwierdziła Heca.

Przy samym krańcu długaśnego stołu siedział w pojedynkę nadzwyczaj wyrośnięty chłopiec. Brakowało mu kilku zębów, miał złamany

nos i ucho jak kalafior. Wyglądał na takiego, który regularnie wdaje się w bójki i szybko je kończy, więc dziewczynka wolała ominąć go szerokim łukiem.

Ze wszystkich stron jednak każdy rzucał jej tak nieprzyjazne spojrzenie, że od razu czuła się niemile widziana.

— Koło mnie nie siadaj! — ostrzegł ją Swądek.

Dziewczyna o wielkich łapach rąbnęła w stół.

ŁUP!

— Tutaj też ani się waż! — zabroniła.

— JEŚLI NIE CHCESZ MIEĆ PRZECHLAPANE, TU NIE WBIJAJ! — krzyknęła niewątpliwie najgłośniejsza uczennica w całej szkole. Mówiła dziesięć razy głośniej niż inni.

— Obok mnie nie masz co parkować zadka, tym bardziej że tu wcale nie da się usiąść! — wtrąciła inna dziewczynka.

— ŚWIRKA! — wrzasnęła ta z dłońmi jak półmiski i palnęła się w czoło po usłyszeniu takiej bzdury. — Ty to jednak jesteś… ŚWIRNIĘTA!

PLASK!

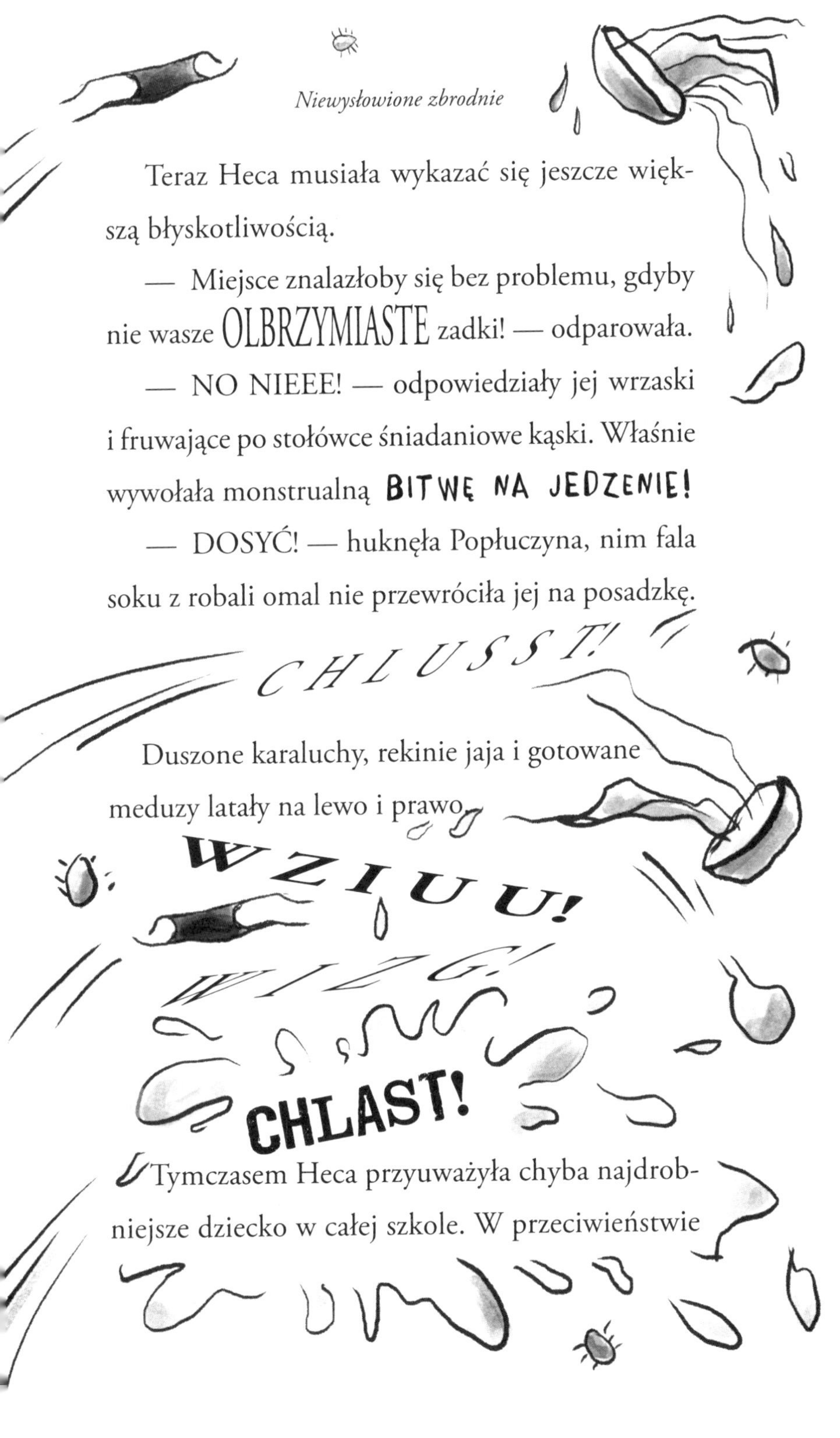

Teraz Heca musiała wykazać się jeszcze większą błyskotliwością.

— Miejsce znalazłoby się bez problemu, gdyby nie wasze OLBRZYMIASTE zadki! — odparowała.

— NO NIEEE! — odpowiedziały jej wrzaski i fruwające po stołówce śniadaniowe kąski. Właśnie wywołała monstrualną **BITWĘ NA JEDZENIE!**

— DOSYĆ! — huknęła Popłuczyna, nim fala soku z robali omal nie przewróciła jej na posadzkę.

CHLUSST!

Duszone karaluchy, rekinie jaja i gotowane meduzy latały na lewo i prawo.

WZIUUU!

WIZG!

CHLAST!

Tymczasem Heca przyuważyła chyba najdrobniejsze dziecko w całej szkole. W przeciwieństwie do kolegów ten chłopczyk miał starannie uczesane włosy, z przedziałkiem pośrodku, a na nosie okulary z grubymi szkłami. Wyglądał niegroźnie, dlatego usadowiła się naprzeciwko.

— Cześć, Heca jestem! — przywitała się pogodnie. — Smakuje ci tost z dżemem z brudu spod paznokci?

— Jest ohydny — odparł chłopak. — Ale nie tak przebrzydły jak ty!

To powiedziawszy, cisnął w nią kanapką. Heca oberwała w twarz.

PŁASK!

— TRZEBA BYŁO MOCNIEJ, SKORKU! — wrzasnęła dziewczynka o donośnym głosie.

— Te, Wrzawa! Zamknij paszczę! — brzmiała odpowiedź.

— HA! HA! HA! — wszyscy zgodnie wyśmiali nową po raz trzeci.

Tym sposobem Heca przekonała się, że nawet najmniejszy z uczniów tej szkoły był KOLOSALNYM KOSZMAREM!

Wszystkie dzieci zesłano do **AKADEMII BEZLITOSNEJ** za niewysłowione zbrodnie:

Skorek dosypał dyrektorowi do kawy sproszkowane zadkobeknięcia. I to w dniu uroczystego apelu.

PFFFT!

Dziewczyna o wielkich dłoniach — Fanga — zburzyła budynek własnej szkoły, wjeżdżając w niego skradzionym walcem parowym.

TRRRRAAAAAACHCHCH!

Świrka napchała piranii do klozetów w toalecie nauczycieli.

KŁAP! KŁAP! KŁAP! KŁAP! KŁAP!

— OJEJ!

Podczas śmiertelnie nudnej wycieczki do zapyziałej średniowiecznej warowni potężny chłopak – Kloc – katapultował swojego historyka do przyszłego stulecia.

WIZG!

Swądek wykradł litery „N”, „I”, „E” ze szkolnych napisów, takich jak: „NIE BIEGAĆ PO KORYTARZU!”.

— Hi! Hi!

Kiedy leciwy nauczyciel geografii przysnął podczas lekcji, Wrzawa zbudziła go, grając na trąbce przystawionej do jego ucha.

TRUTUTUU!

Walka na jedzenie dobiegła końca. Na razie. Nie pozostało już nic, czym dałoby się rzucać. Za to Heca nadal stanowiła przedmiot kpin.

— HA! HA! HA!

— Patrz na tę głupkowatą twarz!

— Dobrze jej tak.

Kiedy dziewczynka rozejrzała się po stołówce, zauważyła jedną osobę, która nie chichotała. To był ten ogromny chłopak, siedzący na szarym końcu stołu. Cały czas zaprzątały go własne sprawy. Wsuwał śniadanie, zupełnie ignorując harmider dookoła. Nawet gdy meduza wylądowała mu na głowie, on spokojnie wpakował do buzi rekinie jajo.

HAUST!

Heca postanowiła zaryzykować i przesiadła się na miejsce naprzeciw niego.

— Zdaje się, że mam dziurawą brodę — zażartowała, wskazując na umorusaną obrzydliwym niby-dżemem twarz.

Chłopiec nie zareagował.

Heca westchnęła i pogmerała łyżką w swojej porcji smarków.

ŚLURP!

Owsianka była jarzeniowozielona i przypominała maź teleportowaną z innego wymiaru. Dziewczynka powąchała breję.

SKISŁY SMRODOFETOR!

Chociaż z głodu aż ją skręcało, za żadne skarby świata by tego nie zjadła. Sfrustrowana odłożyła łyżkę z głośnym **STUK!**

Na ten hałas chłopak podniósł wzrok.

— Odstąpisz mi swoją porcję? — spytał uprzejmie, nie przerywając łapczywej konsumpcji.

HAUST!

Zbzikował czy co?, pomyślała Heca.

— Proszę, częstuj się! — odpowiedziała. Z radością pozbyła się odrażającej żółwiej smarkowsianki.

— Jesteś pewna? Na następny posiłek musimy czekać do jutra!

— Jestem pewna!

— Dzięks — odparł chłopak i zaczął wiosłować z jej talerza.

Rozdział 9
KLOC

Kiedy tak siedzieli w stołówce **AKADEMII BEZLITOSNEJ**, Heca ze zdumieniem przyglądała się, jak Kloc w kilka sekund skończył jeść dokładkę smarków.

— PYCHA! — zachwycił się.

— Pycha? — powtórzyła z niedowierzaniem dziewczynka.

— Po jakimś czasie można przywyknąć!

— Wątpię, czy kiedykolwiek zdołam polubić smak żółwich glutów.

— Łagodzą posmak rekinich jaj.

— Wierzę na słowo. Hej, mam dla ciebie żarcik. Terapeuta poradził żółwiowi, że jeśli chce znaleźć przyjaciół… musi wyjść ze swej skorupy.

Chłopak milczał.

— Kumasz? — spytała Heca.

— **Nie wiem!**

— Nie szkodzi. Jak długo tu jesteś?

— **Nie wiem.** Chyba od lat. Nie pamiętam życia poza akademią.

— Ale na pewno masz rodzinę, która za tobą tęskni…

— **Nie wiem.**

— Dlaczego na każde pytanie odpowiadasz: **„nie wiem"**?

Po chwili namysłu chłopak odparł:

— **Nie wiem.**

— Nie mów tylko, że na imię też masz **„Nie wiem"**! — zażartowała Heca.

— Nie! Jestem Kloc.

— Jej! Czemu Kloc?

— **Nie wiem.**

— Mogłam się domyślić.

— Po prostu tak na mnie wołają — wyjaśnił.

Heca się nachyliła, żeby powiedzieć mu coś w zaufaniu.

— Planujesz zostać tu na zawsze?

— **Nie wiem.**

— Bo ja zamierzam stąd wiać. Wchodzisz w to?

— **Nie wiem?**

— Jak to nie wiesz?

— **Nie wiem,** dokąd miałbym pójść. Tacy jak ja nigdzie nie pasują.

Nagle rozległ się kolejny ogłuszający…

— SKRZEEEK!

Znowu pelikan!

Dzieci natychmiast wstały od stołu.

— Co się dzieje? — zaniepokoiła się Heca. — I nie mów, że **nie wiesz**!

— Ten dźwięk jest znakiem, że czas na pierwszą torturę, znaczy **lekcję**.

Kloc wstał i wziął swój talerz, a Heca ruszyła za nim. Jako że był to jej pierwszy dzień i nie poznała jeszcze szkolnych zasad, odstawiła pustą miskę nie tam, gdzie trzeba. Na szczycie stosu talerzy.

Nic nie doprowadzało Popłuczyny do szału tak

szybko, jak miska ustawiona na stosie talerzy albo płaski talerz odstawiony na miskach.

— Tu się misek nie stawia! — wrzasnęła bufetowa.

— Bardzo przepraszam! — powiedziała Heca.

— Ośmielasz się dodawać mi roboty?!

— Ja…

Zanim dziewczynka zdążyła powiedzieć coś więcej, poczuła, że jedna z misek przelatuje jej nad głową…

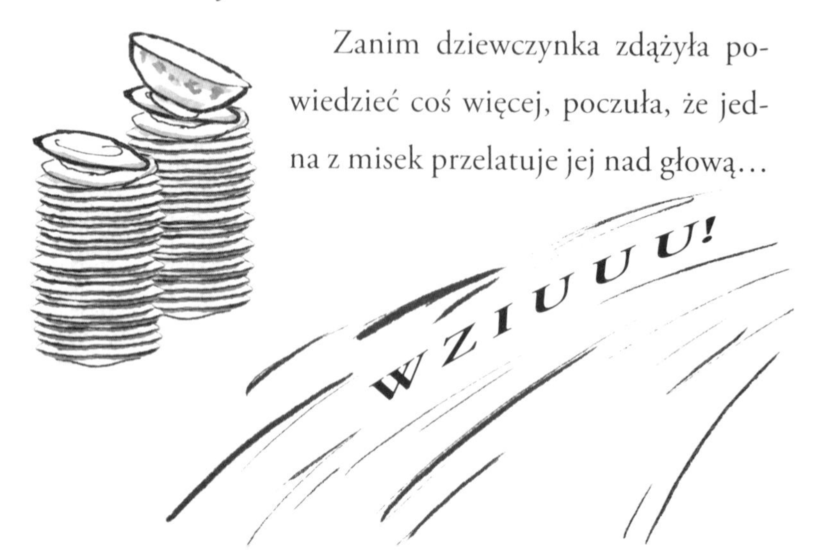

...i rozbija się w drobny mak o ścianę tuż za nią.

TRAACH!

— Takim wrednym małym samolubom jak ty należy się nauczka! — ryczała kobieta.

Chwyciła stos talerzy i zaczęła, jeden po drugim, ciskać nimi w dziewczynkę.

W Z I U U U!

WZIUUUU! WZIUUUU!

TRAACH! TRAACH! TRAACH!

Kloc złapał Hecę za rękę.

— DOPILNUJĘ, ŻEBY **USADZILI CIĘ PO LEKCJACH!** ZOBACZYMY, JAK SIĘ TO JAŚNIE PANI SPODOBA!

— Wierz mi, że nie chcesz **ZOSTAĆ PO LEKCJACH!** — syknął Kloc. — Lepiej pryskajmy stąd, zanim Popłuczyna naprawdę się wścieknie.

— Jeszcze się nie wściekła?! — zdziwiła się Heca, podczas gdy wokoło wciąż eksplodowały talerze.

WZIUUUU! WZIUUUU!

SZUUUUU!

SZUUUUU! SZUUUUU!

SZUUUUU!

TRAACH! TRAACH! TRAACH!

TRAACH! TRAACH!

— Ta szkoła jest POKOPANA! — stwierdziła dziewczynka.

— Och, to nic nadzwyczajnego! Zaczekaj do pierwszej lekcji! Idziemy!

Kloc pociągnął koleżankę za sobą i wyprowadził ze stołówki pośród gradu odłamków z naczyń, które roztrzaskiwały się o drzwi.

Rozdział 10

CYFERKA

Matematyka jest trudna do opanowania nawet w najlepszych placówkach edukacyjnych, ale kiedy twój wykładowca nie potrafi liczyć, staje się to wręcz NIEMOŻLIWE.

Pozwólcie, że wyjaśnię.

Nauczaniem matematyki w **AKADEMII BEZLITOSNEJ** zajmował się pan Cyferka. Nosił trzyczęściowy garnitur z grubego tweedowego materiału, a do tego wytworną muchę. Rozczochrane siwe włosy sterczały mu aż pod sufit, a długa splątana broda ciągnęła się po podłodze.

Jednak z tłumu najbardziej wyróżniał się tym, że jedna z jego dłoni była metalowa. Z sześcioma blaszanymi palcami. To oznaczało, że nauczyciel korzystał z jedenastu palców, ale myślał, że ma ich dziesięć.

Dlatego za każdym razem, kiedy liczył na palcach, żeby rozwiązać zadanie, wychodził BŁĘDNY wynik.

Heca wykazywała się wrodzoną smykałką do matematyki. Należała do tych dzieciaków, którym wystarczyło rzucić okiem na woreczek kulek, pudełko zapałek albo garść monet, żeby od razu powiedzieć, ile ich jest. Dlatego kiedy w zimnych kamiennych murach klasy staruszek zaczął skrobać po tablicy i oznajmił:

— Siedemnaście tysięcy czterysta pięćdziesiąt sześć odjąć jedenaście. Macie dziesięć sekund na odpowiedź. Dziesięć... — nie spodziewał się, że nowa uczennica zgłosi się do odpowiedzi, zanim zdąży powiedzieć: „dziewięć".

— Ja już wiem, proszę pana! — zawołała.

Inne dzieci spojrzały na nią ze zdumieniem.

— Co proszę? — zająknął się nauczyciel.

— Znam wynik, proszę pana.

Cyferka westchnął ciężko.

— Uczę matematyki w **AKADEMII BEZ-LITOSNEJ** od pięćdziesięciu lat i jeszcze żaden uczeń nie podał prawidłowo wyniku dla choćby jednego z moich działań.

— A mnie udało się policzyć! — oznajmiła z dumą Heca.

W ławce tuż za nią Kloc chrząknął porozumiewawczo.

— EKHEM!

Ale dziewczynka nie zwróciła na niego uwagi.

— Odpowiedź brzmi, tu chwila napięcia… — droczyła się.

— Mówże wreszcie! — huknął Cyferka i rzucił w nią kawałkiem kredy.

WZIUUU!

Na szczęście w ostatniej chwili zdążyła się uchylić. Odłamek trafił Kloca w podbródek…

PRASK!

…i rozkruszył się w chmurę pyłu.

— WERBLE, PROSZĘ! — powiedziała Heca.

Tym razem mężczyzna bachnął w jej stronę gąbką do tablicy. Heca znów wykonała unik, a pociskiem dostał Kloc.

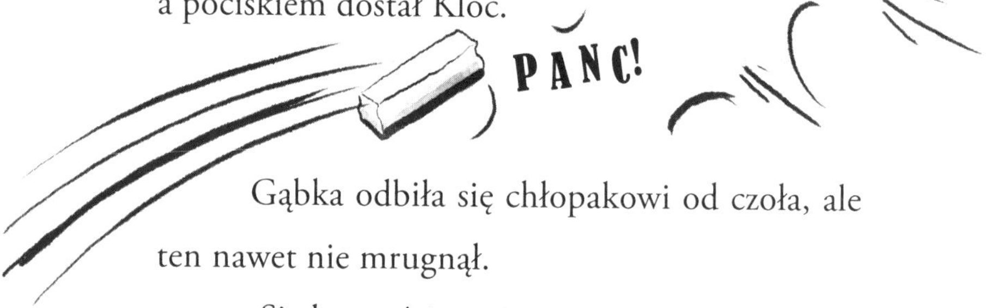

PANC!

Gąbka odbiła się chłopakowi od czoła, ale ten nawet nie mrugnął.

— Siedemnaście tysięcy czterysta czterdzieści pięć! — Dziewczynka wielce z siebie zadowolona rozsiadła się na krześle z założonymi rękami.

— Jesteś bardzo pewna swego! — zachichotał Cyferka. — Przekonajmy się, czy słusznie.

Nauczyciel otworzył dłoń, żeby policzyć na palcach.

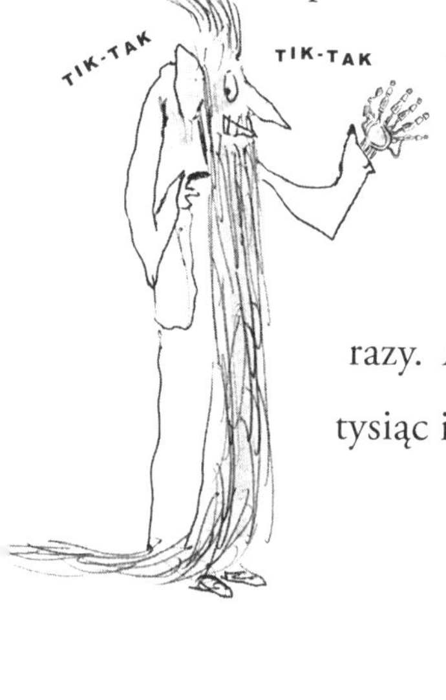

TIK-TAK

TIK-TAK

— Wystarczy dziesięć palców, to będzie łatwizna!

Wszyscy uczniowie westchnęli z rezygnacją. Przerabiali to tysiąc razy. A według obliczeń matematyka – tysiąc i jeden.

Nauczyciel o jedenastu palcach zaczął odliczać od 17456 w tył i oczywiście otrzymał wynik:

— Siedemnaście tysięcy czterysta czterdzieści cztery!

Cyferka podszedł pewnym krokiem do ławki nowej uczennicy i oparł się na blacie. Gdy znaleźli się ze sobą twarzą w twarz, rzekł:

— Wielka szkoda, panno Przemądrzalska! Jesteś w BŁĘDZIE, ot co!

TIK-TAK! TIK-TAK!

Znowu odezwało się tykanie.

— Słyszę coś dziwnego — szepnęła dziewczynka.

Mężczyzna prędko zawrócił do swojego biurka. Wziął do ręki opasły podręcznik matematyki i z całej siły grzmotnął nim w Hecę.

WIIIIZG!

Ponownie zdołała się odsunąć, a Kloc oberwał książką w nos.

BACH!

— Nic się nie martw, Klocu — skomentował nauczyciel. — Twój nos i tak już był złamany!

— Tak, dziękuję, panie profesorze — odparł chłopak.

— Ale, proszę pana, przecież rozwiązałam działanie poprawnie! — zaprotestowała Heca.

W klasie zapanowała cisza. Nikt dotąd nie ośmielił się sprzeciwić panu Cyferce.

Uczniowie mieli wrażenie,

że są świadkami

czegoś przełomowego!

Czy to mógł być

początek…

REWOLUCJI?!

Rozdział 11

ŹLE PRZEZ DUŻE „Ż"

Do tego momentu niewielu uczniów w klasie uważało na lekcji.

Fanga wydłubywała sobie ołówkiem wosk z uszu.

P Y K!

Wrzawa wywoływała śnieżyce z łupieżu.

SZSZUUU!

Świrka pokładała się na ławce w kałuży śliny.

CHRRR!

Swądek nabierał w dłoń swoje pierdy, żeby potem pchnąć je w stronę najbliższego sąsiada.

PFFFT!

Skorek zaś zajmował się puszczaniem dziurką od nosa jak największych wodnistych glutobaniek.

BLUP!

Po wyzwaniu rzuconym profesorowi przez Hecę wszyscy zaczęli przysłuchiwać się uważniej.

Nagle zrobiło się ciekawie! Nikt nigdy z belfrem nie dyskutował. Cyferka działał jak katapulta i nie sposób było przewidzieć, czym w ciebie pacnie. Raz nawet rzucił w Kloca Swądkiem!

Czyżby nowa dziewczyna znalazła sposób na strasznego nauczyciela? I to na pierwszej lekcji w **AKADEMII BEZLITOSNEJ**?

— „Dobrze rozwiązałam równanie, proszę pana"! — przedrzeźniał Cyferka, po czym złapał za krzesło i nim cisnął.

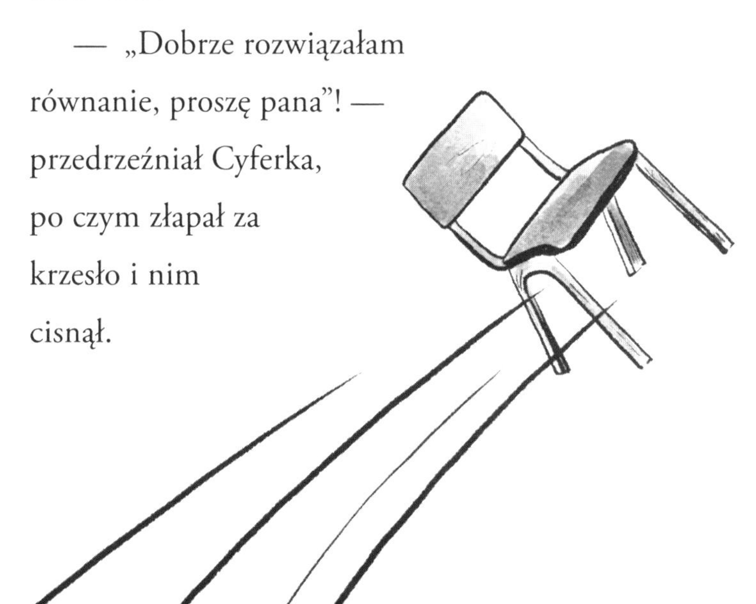

Na szczęście dzieci zdążyły się schylić i mebel roztrzaskał się o ścianę w końcu sali.

TRACH!

— I patrz, co narobiłaś! — oskarżył ją Cyferka. — Połamałaś krzesło!

— Nie ja je połamałam, tylko pan nim rzucił!

— Gdyby trafiło w ciebie, to na pewno by się nie połamało!

— Logika w tym jest! — zgodziła się Wrzawa.

— Rozwiązałaś zadanie źle! — upierał się nauczyciel. — Źle! Źle! Źle! Źle przez duże „Ż”! ŹLE!

— Ortografia też nie jest pana mocną stroną — mruknęła Heca.

— Co powiedziałaś?

— Nic, proszę pana!

— Udowodnię ci, że się mylisz! Nie widziałaś, jak liczyłem na palcach?

Po klasie przebiegło głębokie westchnienie.

— AAAACH!

Dzieciaki zastygły w oczekiwaniu.

— Widziałam, proszę pana! — odpowiedziała Heca. — I odliczył pan o jeden za dużo.

— Niby jakim cudem? Mam dziesięć palców!

— Nieprawda. Ma pan jedenaście!

Fala niedowierzania przetoczyła się od pierwszej do ostatniej ławki.

— WZDECH!

Dla podkreślenia powagi sytuacji Kloc westchnął nawet podwójnie.

— WZDECH! WZDECH!

Cyferka wpadł w SZALEŃCZY SZAŁ!

Z trudem dźwignął własne biurko
i rzucił nim przed siebie.

FRRRUUU!

Heca przykucnęła, ale Kloc nie zdążył
i oberwał w głowę.

ŁUP!

Biurko roztrzaskało się na kawałki, sypiąc drzazgami na lewo i prawo.

— Kloc! Nic ci nie jest? — spytała Heca.

— **Nie wiem** — odpowiedział, rozcierając sobie guza na głowie.

— A to wredna małpa! Twierdzi, że mam jedenaście palców! Jedenaście! Bzdura! — darł się Cyferka. — Jeden, dwa, trzy, cztery, pięć, sześć, siedem, osiem, dziewięć, dziesięć! Proszę bardzo! Suma palców moich kończyn dolnych także równa jest dziesięć!

Matematyk ściągnął buty i skarpetki, a wtedy oczom wszystkich ukazała się… metalowa stopa! Proteza z – tak, zgadza się – sześcioma palcami! U stóp pan Cyferka także miał jedenaście palców, które demonstracyjnie policzył.

— Jeden, dwa, trzy, cztery, pięć, sześć, siedem, osiem, dziewięć, dziesięć! A panna Przemądrzalska napisze sobie z matmy dziesięć sprawdzianów!

— A nie jedenaście? — zasugerowała Heca.

Zdenerwowany Kloc gwałtownie pokręcił głową.

— Możesz napisać jedenaście! — krzyczał Cyferka.

— Czyli jednak się pan doliczył! — bąknęła pod nosem dziewczynka, ku uciesze koleżanek i kolegów.

— HA! HA! HA!

Teraz śmiali się z nią, a nie z niej. To było NAJLEPSZE uczucie na świecie.

— Co tam mruczałaś? — chciał wiedzieć matematyk.

— Nic, proszę pana! — zapewniła go i uśmiechnęła się jak kot, który dobrał się do śmietanki.

— Powinienem za karę **ZOSTAWIĆ CIĘ...**

Zanim Cyferka zdążył dodać: **„PO LEKCJACH"**, uratował ją dzwonek na przerwę. To znaczy niezupełnie dzwonek, a raczej wrzask pelikana.

— **SKRZEK!**

— To sygnał dla mnie, nie dla was! — pieklił się nauczyciel, lecz na próżno, bo dzieciaki prysnęły z klasy niczym szczury uciekające z tonącego okrętu.

— Wiesz, Heco, nikt nigdy nie odstawił podobnego numeru — rzekł rozemocjonowany Kloc.

— Było nawet komicznie! — odpowiedziała dziewczynka.

— Masz szczęście, że ominęło cię **SIEDZENIE PO LEKCJACH**.

— Wszystko mi jedno.

— Jeszcze zmienisz zdanie. Dzieciaki, które musiały **ZOSTAWAĆ PO LEKCJACH**, przeobrażają się nie do poznania!

— Co masz na myśli?

— **Nie wiem.** Za dużo gadam.

— Powiedziałeś stanowczo za mało...

— Z uczniami zawsze przesiaduje nauczycielka od przedmiotów ścisłych, a dzieciaki wracają z tych zajęć **zombiak-◎-wate**!

Heca przystanęła pośrodku zimnego korytarza.

— **zombiak-◎-wate**? Dlaczego?

— **Nie wiem**. Nikt tego nie wie.

— Jest nas tutaj całkiem sporo. Dlaczego nie postawicie się kadrze?

Kloc pokręcił głową.

— **Nie wiem**. W **AKADEMII BEZLITOSNEJ** każdy dba tylko o własną skórę.

— Ale gdybyśmy działali razem… — tłumaczyła Heca.

— To niemożliwe.

— Nie ma rzeczy niemożliwych!

— Mówię ci, że nic z tego. Dzieciaki tutaj się nawzajem nie znoszą — twierdził uparcie chłopak.

— Ja do ciebie nic nie mam.

— Ja do ciebie też nie!

— Dobry początek!

Heca i Kloc uśmiechneli się do siebie.

— Co dwie głowy, to nie jedna! — dodała dziewczynka. — Połączymy siły i wyniesiemy się stąd raz na zawsze!

Kloc zamyślił się przez chwilę.

— Takie gadanie skończy się **SIEDZENIEM PO LEKCJACH**. Tak jak spóźnianie na zajęcia. Chodź! — Wziął nową koleżankę za rękę i zaprowadził do następnej sali.

Rozdział 12
PAPLAŃSKI

Zwykle oczekujemy, że dzieci w szkole będą nauczane języka obcego, który może przydać im się w późniejszym życiu, na przykład francuskiego, niemieckiego, hiszpańskiego, mandaryńskiego czy rosyjskiego.

Ale nie w **AKADEMII BEZLITOSNEJ**.

Tutejsza nauczycielka, panna Ględzik, uczyła języka... paplańskiego. Była to absurdalna, osobiście przez nią wymyślona, paplanina. Paplańskiego nie dało się w żaden sposób opanować, ponieważ nieustannie się zmieniał. Panna Ględzik nigdy nie pamiętała, jakie znaczenie nadała stworzonym przez siebie wyrazom.

Jednego dnia paplańskim słowem oznaczającym *łyżkę* było bimibami, a kolejnego już furg.

Podobnie *królowa* po paplańsku raz brzmiała rybcium-pypcium, a innym razem fiblifu.

Wyraz *drzewo* na paplański należało przełożyć jako puppolad – do czasu gdy nie okazało się, że *drzewo* to jednak mugimugimugi albo zinglejd.

Żaden uczeń nie mógł za tym nadążyć, a w słownym gąszczu gubiła się sama autorka.

Kloc właśnie skończył wyjaśniać Hecy sytuację, gdy do klasy weszła niziutka kobieta w dziwnie dobranych ubraniach i okularach, dzięki którym trudno było nie zwrócić na nią uwagi.

— Chłopcy i dziewczęta, dziś piszemy sprawdzian z paplańskiego! — oznajmiła i zaczęła rozdawać kartki. Odpowiedział jej zbiorowy jęk.

— Co za BADZIEW! — odezwała się donośnie Wrzawa.

— Wypraszam sobie badziew, Wrzawo. Wystarczy, że przetłumaczysz to z paplańskiego na polski! Nic prostszego!

— A my potrafimy już mówić po polsku, proszę pani? — spytała Świrka.

— Masz fajne poczucie humoru! — doceniła ją Heca.

— Wcale nie próbowałam się wygłupiać — odpowiedziała zdziwiona dziewczynka.

— Ojej! — powiedziała Heca, kiedy przyjrzała się klasówce. Lista słów do odszyfrowania ciągnęła się przez dwie kartki.

SPRAWDZIAN NR 1

IMIĘ: **KLASA:**

AKADEMIA BEZLIPSNA

firdymałki

gintynuk

siubidi-siup

mortadellum

sosjagodo

bum-bum-bum

hejhohejho

pomtomolom

oooooooooooooooooooooooooooooooooooooooooooooooooooooooooooooooooooooooooooooooo

pamparampam

kikastyczny

fidąk

frumk

fudżinksz

galototo

iiiiiiiiiiiiiiiiiiiiiiiiiiiiiiiik

spolondorus
farfoclik
krupniachy
dylu-dylu
wiroplask
jołki-połki
pluu
frutastyszny
spliksplaksplok
łuułaa
omacka
flonk
klonk
plonk
wykopyrtastycznościowo

OCENA:

— Ględzik chce, żebyśmy wszyscy zawalili test — syknął Kloc.

— Dlaczego? — dopytywała Heca.

— ZA KARĘ będzie mogła nam wszystkim kazać **ZOSTAĆ PO LEKCJACH**!

— Tylko nie **TO**! — szepnął Swądek.

— Nigdy już nie będziemy tacy sami! — dodał

Skorek, nerwowo pocierając czoło. — Siedziałem tam wczoraj i czuję się tak, jakby trawiła mnie gorączka. Mam wrażenie, że lada moment wybuchnę!

Po chwili namysłu Heca wpadła na pewien pomysł. **P I N G!**

— Już wiem! Pokonam pannę Ględzik jej własną bronią!

— Jak? — zainteresował się Kloc.

— No właśnie, niby jak? — zawtórował mu Skorek, który też chciał być częścią paczki.

— Zacznę mówić tylko po paplańsku! — odparła z uśmiechem Heca.

Rozdział 13

WIU-WICHNĘŁA!

Sprawdzian z paplańskiego zacznie się… TERAZ! — oznajmiła Ględzik, wpatrzona w zegarek, który chodził wspak.

Heca natychmiast podniosła rękę.

— Rozpoczęliśmy klasówkę! — upomniała ją nauczycielka.

— Wiem, panno Ględzik, ale czy mogłabym przez chwilę porozmawiać z panią po paplańsku?

— Po paplańsku? — Kobieta wyraźnie się spłoszyła.

— Tak!

— Nie jestem pewna, czy…

— Przecież to lekcja paplańskiego, prawda?

— Oczywiście! Paplański panny Ględzik!

— I nie ma lepszego sposobu na naukę języka obcego niż konwersacje.

Heca zapędziła nauczycielkę w kozi róg. Kobieta nie miała innego wyjścia, musiała się zgodzić.

— Zatem proszę bardzo!

Heca uśmiechnęła się psotnie. Zapowiadała się niezła komedia ZMYŁEK! A po paplańsku niezły hejopopejoecie-peć!

Heca zaczęła tak:

— Mundongaga bim furlupurlu, fiki-miki udabababili niszkwot, gruntelfunk lizu mikimuu zob zob zob, plaskudryńdryń?

Zakończyła zdanie intonacją wznoszącą, jak gdyby zadała pytanie, ale że – tak samo jak nauczycielka – od początku do końca zmyśliła swój paplański, odpowiedź po prostu nie istniała.

Panna Ględzik po raz pierwszy zbaraniała*.

Dzieciaki wpatrywały się w nauczycielkę w niemym oczekiwaniu.

Kobieta wyglądała na całkowicie zdezorientowaną.

— Czy... mogłabyś powtórzyć pytanie?

Jak to zawsze bywa, kiedy ktoś posługuje się paplańskim, zdanie za drugim razem brzmiało zupełnie inaczej!

— Puppa dingaling jagodudu nonton krunflip mikimakimuu purgot furgot drugol prugol, grugo obi wuntel hejho, bruhahahahahahaha?

Świrce tak się nagle spodobał ten język, że prędko przyłączyła się do wygłupów.

— Mopi fizfaz minkodrop ududu mapeti pypciopuć! Jej, potrafię mówić po paplańsku!

— Nieźle, Świrko! — pochwaliła Heca. — Kto ma jeszcze coś do dodania?!

Wkrótce wszyscy koledzy i koleżanki zaczęli podrzucać swoje zwariowane propozycje.

---

* W tłumaczeniu na paplański – *wiu-wichnęła!*

— Plumfiz!

— Majtoloty!

— **Jejobęc!**

— Stukukukupupla!

— Fintitustyczny!

— **Hugrot!**

— Elemelemopolele!

— Dingifluk!

— **Wielgumiętus!**

— CISZA! — krzyknęła panna Ględzik. — Wstydźcie się! Nigdy nie widziałam w **AKADEMII BEZLITOSNEJ** takiego popisu bezczelności!

Heca znów podniosła rękę i natychmiast zaczęła nawijać:

— Ale, proszę pani, nie odpowiedziała pani na moje pytanie! Plimplan hojaja łubi łubi gruntelfumpkin brupipientus papararararapapapa sulka drunkel funkel droplidopli farfocello kłi kłi kłak woluwiwula brumstink grogol skudfurp tinki tanki tonk pluskplaskplosk kugle bridli brudi bru, fintykluszko-zaklukplop?

Uczniowie gapili się na pannę Ględzik, której czoło zrosił rzęsisty pot. Wyjęła nakrapianą jedwabną chustkę i zamaszyście otarła skronie.

— Powtórz pytanie jeszcze raz, rozrabiako, tym razem NIE po paplańsku! — zażądała.

— Powiedziałam — zaczęła Heca z szelmowskim błyskiem w oku — że pani nie zna ani jednego słowa po paplańsku, prawda?

Dzieciaki ryknęły śmiechem.

— HA! HA! HA!

— Podoba mi się ta nowa! — zawołała Fanga.

— MNIE TEŻ! — zgodziła się Wrzawa.

— Jest spoko! — dodał Swądek.

— Przypomnijcie mi, która to?! — wtrąciła Świrka.

Panna Ględzik była tak wściekła, że omal nie wyszła z siebie! Zaczęła tupać, a następnie skierowała się do ławki Hecy. Gdy tylko się zbliżyła, dziewczynka znowu usłyszała dziwne tykanie.

TIK-TAK! TIK-TAK!

— WYJDŹ! — wrzasnęła kobieta. — WYNOCHA Z MOJEJ KLASY!

— Czy mogłaby pani powtórzyć to po paplańsku? — zażartowała dziewczynka.

— HA! HA! HA! — zaśmiewały się urwisy.

— TO CI SIĘ UDAŁO, HECO! — zawołał Kloc.

— KLOC! **ZOSTAJESZ PO LEKCJACH**! — zawyrokowała nauczycielka.

— NIEEEEE! — jęczał błagalnie.

— **ZOSTANIESZ PO LEKCJACH DWA RAZY DŁUŻEJ!**

— Wybacz, Klocu — szepnęła Heca. Poczuła się paskudnie. Wpakowała jedynego kumpla w taki PASZTET!

— A TY, HECO — darła się nauczycielka — NATYCHMIAST OPUŚĆ MOJĄ KLASĘ! ZA KARĘ **ZOSTANIESZ PO LEKCJACH** TRZYKROTNIE…

Zanim jednak Ględzik zdążyła powiedzieć: „DŁUŻEJ", Heca wymaszerowała z sali i trzasnęła za sobą drzwiami.

TRZASK!

Rozdział 14

LAWINA!

Na korytarzu Heca zatańczyła taniec radości, zachwycona swoim zawadiackim wymiganiem się przed długaśnym **SIEDZENIEM PO LEKCJACH**. Ale myśl o Klocu wywołała w niej wyrzuty sumienia. A jeśli to, co opowiadał o pobycie w kozie, jest prawdą? Jakie okropności spotkają tam jej przyjaciela?

Nagle z oddali dało się słyszeć pobrzękiwanie kluczy.

BRZĘK! BRZDĄK! BRZDĘK!

O nie!

Wściub nadciągał w jej stronę. Dziewczynka skryła się za stojącą w niszy zbroją. Kiedy mężczyzna ją minął i był już dostatecznie daleko, na paluszkach ruszyła ponurym krużgankiem. Przeszła obok dużych drewnianych drzwi z napisem:

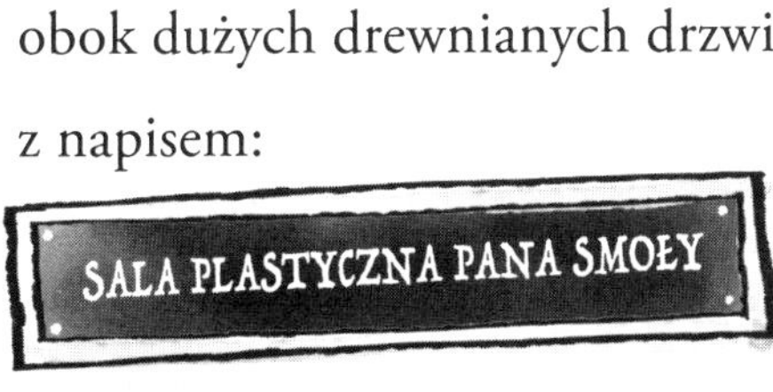

Ciekawość zwyciężyła i Heca schyliła się, żeby zajrzeć przez dziurkę od klucza.

W środku znajdowała się pracowania artystyczna, w której rej wodził mężczyzna z burzą kruczoczarnych włosów, czarną, spiczastą brodą, od stóp do głów odziany na czarno. Krążył po klasie w tę i z powrotem, pokrzykując na uczniów:

— PAN SMOŁA ŻĄDA CZERNI! NAJCZARNIEJSZEJ CZERNI! WIĘCEJ CZERNI W CZERNI!

Lecz wszystko wskazywało na to, że nie uda się uzyskać ciemniejszych barw. Wśród dostępnych przyborów malarskich znajdowały się jedynie czarna farba oraz czarny papier, zatem prace uczniów przypominały plamy smolistego smaru.

To nie twórczość, tylko męczarnia.

Heca pokręciła głową ze zrozumieniem. Im bliżej poznawało się **AKADEMIĘ BEZLITOSNĄ**, tym wyraźniej ukazywała swoje bezlitosne oblicze. Jedna rzecz nie ulegała wątpliwości — szkoła godna była nadanej jej osobliwej nazwy.

Na kamienne ściany korytarza niespodziewanie padła para cieni, jeden wysoki i wyprostowany, a drugi – niski i skulony. Niski pchał przed sobą wózek z jakąś wielką maszynerią. Przypominała ona ogromny szklany zbiornik albo gablotę, w której muzeum trzymałoby wypchanego zwierza.

Heca chciała podążyć za nimi, ale cienie nagle zniknęły. Zamkowe korytarze stanowiły splątany labirynt, obranie właściwej drogi było kompletną zagadką. Wystraszona nie na żarty dziewczynka starała się stąpać jak najciszej. Nieopodal rozległo się tupanie, chyba właśnie gdzieś trwały zajęcia wychowania fizycznego. Hecę zaciekawiło, w jakie gry mogło grywać się w **AKADEMII BEZLITOSNEJ**, więc podkradła się do drzwi.

Wisiała na nich tabliczka:

UWAGA! NIEBEZPIECZEŃSTWO! SALA GIMNASTYCZNA!

W istocie, sport, który tam uprawiano, był **NIEZIEMSKO NIEBEZPIECZNY**. Zaokrąglona kobieta w dresie toczyła z uczniami nietypowy mecz zbijaka.

Po pierwsze zbijak ten przede wszystkim zbijał z pantałyku, bo gracze…

…nie mieli piłki!

A po drugie nauczycielka, panna Kulka, uformowała kulę z własnego ciała i sama zbijała z nóg uczniów.

TURLU!

Osiągnęła poziom mistrzowski w wykonywaniu ćwiczenia kołyska, więc bez trudu powalała na parkiet wychowanków, którzy strwożeni tłoczyli się jeden za drugim jak kręgle na końcu toru.

Impet uderzenia wyrzucał ich w powietrze...

— AAA!

— POMOCY!

— DOŚĆ!

...po czym wszyscy lądowali w bezładnej gromadzie w drugim końcu sali.

Wtem w oddali głośno szczęknęły talerze. Heca otworzyła najbliższe pomieszczenie — z napisem **BIURO RZECZY ZNALEZIONYCH** — wemknęła się do środka i przez szparę w drzwiach obserwowała Popłuczynę. Złorzecząc pod nosem, bufetowa prowadziła wózek obładowany wszystkimi odłamkami potłuczonej rano porcelany.

— Jeśli jeszcze raz zobaczę tę pannicę, usmażę ją jak jajecznicę i podam na śniadanie!

Auć!, pomyślała Heca i odczekała jeszcze chwilę, zanim wyszła z ciemnego dusznego pokoju.

Do kolejnej sali przybito napis:

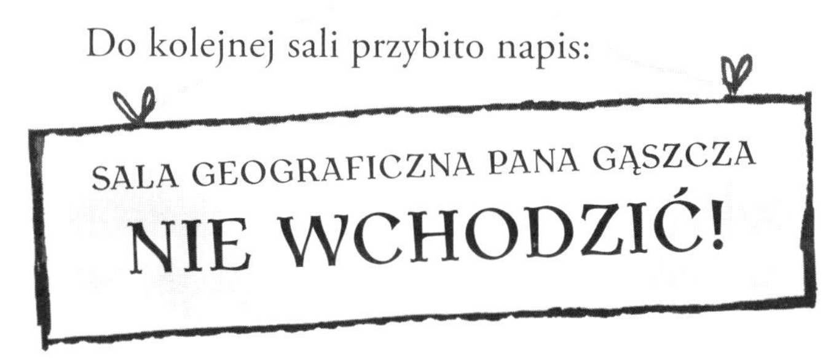

Kiedy dziewczynka zerknęła przez okienko u góry drzwi, zaskoczył ją następujący widok: na szczycie olbrzymiej hałdy lodu i śniegu stał rumiany brodaty nauczyciel w futrzanym płaszczu, śniegowcach i ochronnych goglach.

Uczniowie przyglądali mu się zza swoich ławek z PRZERAŻENIEM.

— Mam dla was dwie wiadomości. W związku z waszym karygodnym zachowaniem — oznajmił pan Gąszcz — szkolna wycieczka na biegun północny została odwołana!

— OCH! — stęknęły zgodnie dzieci. Zabrzmiało to tak, jakby ktoś nadepnął na pełne powietrza dudy.

— Ale jest też dobra wiadomość: biegun północny przyjdzie do was!

Nauczyciel zaczął śniegowcami przepychać lód i śnieg z miejsca na miejsce.

CHRUP!

Wkrótce przez klasę przetoczyła się LAWINA...

SZSZSZUUUU!

...i zakopała uczniów aż po pachy.

— NIEEEEEEEEEEEE!

— TO NIE „NIEEEEE"! TO „ŚNIEEEEEG"! HO! HO! HO! — pohukiwał pan Gąszcz.

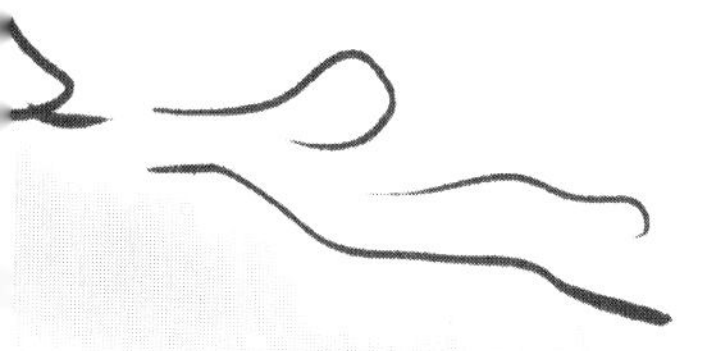

Wystarczyła chwila, by wybuchła bitwa na śnieżki.

SZUUU!

PRASK!

SZUUU!

PRASK!

SZUUU!

PRASK!

Zabłąkana śniegowa kula trafiła Hecę w twarz...

PRASK!

...przyprawiając ją o śnieżną brodę!

— **SKRZEK!** — rozległo się na korytarzach. Tym razem pelikan oznajmił koniec całego dnia zajęć. Drzwi klas otworzyły się, a dzieci powędrowały do swoich pokoi. Heca zamierzała trzymać się z dala od tłumu, żeby Ględzik nie znalazła okazji, by **USADZIĆ JĄ PO LEKCJACH**, ale po drodze dokonała szokującego odkrycia. **AKADEMIA BEZLITOSNA** posiadała bibliotekę.

I to nie byle jaką.

O nie.

Powyżej wysokich drewnianych drzwi wielkimi literami wypisano…

Rozdział 15

KSIĄŻNICA POTĘPIENIA

Niby jak biblioteka ma sprowadzić na kogoś potępienie?, zdziwiła się Heca. *Też mi pomysł!*

Dziewczynka należała do osób, które lubią zrobić efektowne wejście, dlatego pchnęła drzwi biblioteki dramatycznym gestem…

PACH!

…lecz na nikim nie zrobiło to najmniejszego wrażenia.

Niemłoda bibliotekarka siedziała przygarbiona nad drewnianym kontuarem i ustawioną na blacie wielką puszką ciastek. Na biurku stała plakietka:

PANNA UMOCZEK
BIBLIOTEKARKA AKADEMII BEZLITOSNEJ

Kobieta była zbyt zajęta maczaniem herbatników w herbacie, żeby zauważyć pojawienie się dziewczynki.

Mijając starszą panią, Heca rozpoznała słyszane już wcześniej dziwne tykanie.

TIK-TAK! TIK-TAK!

Rozejrzała się za jakimś zegarem, ale nigdzie go nie spostrzegła.

Na całym świecie nie spotkalibyśmy biblioteki opanowanej przez większy bałagan. Pomieszczenie niemal pękało w szwach od mnóstwa książek. Tomy zalegały na podłodze, na krzesłach oraz stołach, książki na półkach zaś poustawiano tak niechlujnie, że tkwiły do góry nogami albo stronicami na zewnątrz.

Hecę zaskoczyły także kategorie tematyczne dostępnych tytułów. Wszystkie kojarzyły się z jakiegoś rodzaju okropnościami.

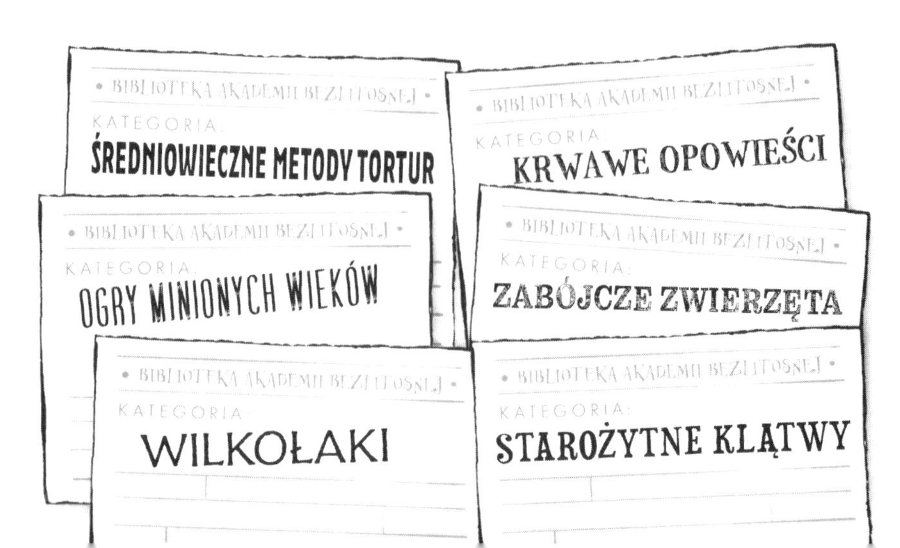

Nie znaleźlibyście tam ani jednej wesołej opowieści, historyjek z dowcipami czy obrazkowych książek pełnych słodkich szczeniaczków.

Zamiast tego niezliczone regały wprost uginały się pod ciężarem lektur, po których uczniowie **AKADEMII BEZLITOSNEJ** mogli mieć wyłącznie SENNE KOSZMARY.

Rzut oka na tytuły wystarczył, żeby ze strachu brać nogi za pas.

PRZEWODNIK PO PLAMACH

ZABÓJCZE SKARPETY

WSTĘP DO PAPLAŃSKIEGO
PANNY GLĘDZIK

WSZYSTKO, CO CHCIELIBYŚCIE
WIEDZIEĆ O SERZE ZE STÓP*

*ALE BALIŚCIE SIĘ SPYTAĆ

POTWORY DZIECIOŻERNE

NAJSMRODLIWSZE ZADKOBEKNIĘCIA ŚWIATA
(SERIA „PODRAP I POWĄCHAJ")

LARWY NA GRZANCE I STO INNYCH
WYBORNYCH PRZEPISÓW
PANI POPŁUCZYNY

PARUJĄCE KROWIE PLACKI NA PŁÓTNACH MISTRZÓW

PROSTY KURS LICZENIA
DO DZIESIĘCIU PANA CYFERKI

TAJEMNICZE ZNIKNIĘCIA
W AKADEMII BEZLITOSNEJ

Heca zaczęła rozglądać się w poszukiwaniu jakiejkolwiek książki, która nie wywołałaby u niej bezsennej nocy.

Oczywiście bezskutecznie.

Niespodziewanie drzwi otworzyły się i do biblioteki pospiesznie wszedł najdrobniejszy dzieciak w całej szkole.

Skorek!

Chłopak obficie się pocił i wyraźnie źle czuł. Zanurkował między regały i skrył się w kącie.

Kiedy Heca zajrzała przez półki, zobaczyła, że przygarbiony Skorek przysiadł na stosie książek. Krótkie nóżki dyndały mu w powietrzu. Rozłożył sobie na kolanach opasły, oprawiony w czerwoną skórę tom wielkości niemal równej z jego wzrostem. Na grzbiecie złotymi literami wypisano tytuł:

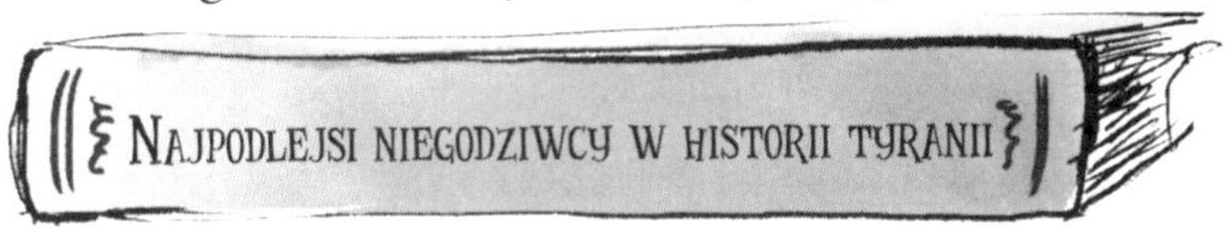

Zdumiało ją, że trzymał książkę na opak, nie mógł jej więc czytać, a raczej zasłaniał się nią przed światem.

— Cóż tu porabiasz? — zagadnęła Heca.

— Idź sobie! — syknął chłopiec, skryty za wielką okładką.

— Nie. Zadałam ci pytanie!

— Miałem znowu SIEDZIEĆ W KOZIE, ale schowałem się tutaj.

— Naprawdę jest tak strasznie, jak wszyscy mówią?

— Tak! Kiblowałem tam wczoraj i wciąż nie mogę się pozbierać.

— Co się stało?

— Prawie nic nie pamiętam — przyznał Skorek. Nadal obficie się pocił i cały czas ciągnął za kołnierzyk koszuli, żeby się ochłodzić.

— Zapomniałeś od wczoraj?

— Nie potrafię sobie przypomnieć niczego

poza tym, że przeszedłem przez próg sali. Potem wszystko się zaciera.

— Dziwne.

— Ubiegłej nocy śniło mi się, że latałem w przestworzach cały w płomieniach.

— To jeszcze dziwniej.

— Co najdziwniejsze, cały dzień jest mi megagorąco. Jakbym miał gorączkę! — rzekł i powachlował twarz książką.

— Jesteś w kiepskiej formie. Powinieneś leżeć w szkolnym ambulatorium.

Chłopak prychnął.

— Wielkie dzięki! Gabinet pielęgniarki w **AKADEMII BEZLITOSNEJ** istnieje po to, żeby wywołać u nas choroby, a nie leczyć! Przezornie wolę go unikać. A teraz ODCZEP SIĘ, dobra?

— Dlaczego mól książkowy przylatuje do biblioteki? Bo jest głodny wiedzy!

— ODCZEP SIĘ!

— Kiedy bibliotekarka wybucha płaczem? Jak czytelnicy przychodzą zwrócić DRAMATY.

— SPŁY. WAJ.

— A gdzie znaleźć książki o Wielkiej Stopie? W dziale książek z dużym drukiem.

— Odczepisz się wreszcie?!

— Dobra! Dobra! Chciałam tylko rozluźnić atmosferę! — rzuciła Heca i odeszła na drugi koniec biblioteki. Pokręciła się tam chwilę, przerzucając strony badań na temat bab z nosa, gdy niespodzianie usłyszała wyraźne SKWIERCZENIE.

— Skorku? — zawołała i pobiegła sprawdzić, co się wydarzyło.

Na twarzy Skorka malował się wyraz głębokiej rozpaczy. Podobny do miny kogoś, kto pilnie potrzebuje do łazienki, ale obawia się, że nie zdąży.

— Skorku, wszystko w porządku? — spytała Heca, chociaż dobrze wiedziała, że odpowiedź brzmi: „nie".

Chłopiec nie był w stanie mówić. Jego buzia stawała się coraz czerwieńsza, aż w końcu zaczął przypominać gigantyczną truskawkę.

— Skorek! Co się dzieje?! PROSZĘ CIĘ! Powiedz!

Chłopak nadal milczał, za to w jego oczach zobaczyła przerażenie. Desperacko pragnął jej coś wyznać, ale za nic nie umiał z siebie tego wydusić.

Kiedy twarz Skorka zajaśniała niczym słońce, upuścił książkę.

ŁUP!

Heca spojrzała w stronę bibliotekarki, ale pannę Umoczek zanadto zajmowało precyzyjne zamaczanie herbatników, żeby mogła dojrzeć zbliżające się kłopoty.

Skorek spadł ze sterty książek i legł w konwulsjach na podłodze. Z uszu poszedł mu dym i wyglądał, jakby lada chwila miał…

WYBUCHNĄĆ!

Rozdział 16

CHŁOPIEC, KTÓRY WYBUCHŁ

SKOREK! — wrzasnęła Heca, próbując postawić kolegę na nogi.

Lista dziwnych zdarzeń wydłużyła się o kolejną nieprawdopodobną sytuację. Z zadka Skorka buchnęły płomienie!

BUCH! SKWIERK! SYK!

— Skorku, co ci jest? — dopytywała dziewczynka. Podtrzymując cierpiącego kolegę, wołała do leciwej bibliotekarki: — PANNO UMOCZEK! RATUNKU!

Kobieta nawet nie podniosła wzroku, pochłonięta namaczaniem ciasteczek.

Chłopiec zrobił się gorący jak rozgrzany piec.

Potem stopy Skorka oderwały się od ziemi.

Szykował się do startu pionowego!

Heca położyła mu ręce na ramionach, aby przytrzymać go przy ziemi. Ale nic z tego.

— STÓJ! — krzyknęła. Skóra na jej dłoniach zaczynała się przypiekać. Płomienie rosły i rosły, aż w końcu…

K A B U U U M!

…Skorek wzbił się w powietrze niczym METEOR! Odbił się od ścian…

BACH! BUCH! **BOCH!**

…wzleciał ku sufitowi, by…

KRACH!

…przebić się przez dach biblioteki.

Gdy wokoło sypał się gruz,

Heca wślizgnęła się pod

bezpieczne okładki ogromnej encyklopedii potworów.

S Y P! T R A C H!

Przez obłok pyłu dostrzegła w dachu dziurę wielkości chłopca.

Skorek śmignął hen daleko między chmury.

ŁUBU-DU!

Niebo rozświetliła na czerwono nagła eksplozja, a po chwili drobna sylwetka przecięła linię horyzontu i runęła wprost do morza.

Heca podbiegła do bibliotekarki, która wciąż bezskutecznie usiłowała namoczyć całe ciastko w filiżance herbaty.

— PANNO UMOCZEK!

Na dźwięk głosu dziewczynki nasiąknięty herbatnik pękł, a odłamany kawałek chlupnął do porcelanowego naczynia.

— No i zobacz, co przez ciebie narobiłam! — zżymała się kobieta.

— Proszę pani — zaczęła Heca — powinna pani wiedzieć, że…

— NIBY CO?

— Przed sekundą

jeden chłopczyk tutaj eksplodował!

CZĘŚĆ DRUGA
PIWNICZNE SEKRETY

Rozdział 17

HERBATNIK W RAZIE NAGŁEGO WYPADKU!

Eksplodujący chłopiec? Ty chyba postradałaś rozum! — burknęła zza lady starsza pani.

— ANI TROCHĘ! Ani nic nie postradałam, ani nic mi się nie poluzowało! — protestowała Heca.

— Mam wielką ochotę donieść na ciebie dyrektorce!

— To ja mam ochotę posłać PANIĄ na dywanik! — odcięła się dziewczynka.

— Nie wolno ci!

— Dlaczego nie?

— Zawracanie głowy pani profesor jest surowo zabronione! To bardzo zajęta osoba!

— Zajęta czym? — dopytywała Heca. — Ta szkoła jest jedną wielką kompromitacją!

— Jak śmiesz!

— A śmiem!

— Spędziłaś tutaj ledwie jeden dzień i tylko ferment siejesz!

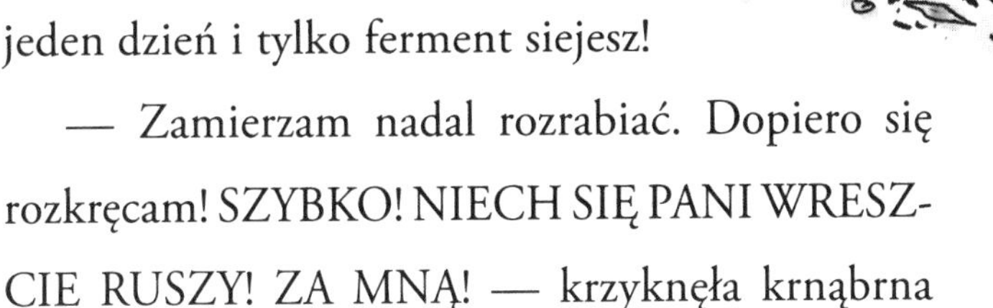

— Zamierzam nadal rozrabiać. Dopiero się rozkręcam! SZYBKO! NIECH SIĘ PANI WRESZCIE RUSZY! ZA MNĄ! — krzyknęła krnąbrna uczennica.

— Jeszcze nie skończyłam herbaty i ciasteczka!

— SZKODA CZASU! — Heca wyszarpała starszą panią zza kontuaru.

— OCH! JESTEM NA WPÓŁ UMOCZONA! — zirytowała się Umoczek, kiedy połowa nasączonego herbatą biskwita plasnęła na podłogę.

Heca zdołała zwinnie ominąć rafy zbudowane ze stert książek i wyprowadzić bibliotekarkę za drzwi KSIĄŻNICY POTĘPIENIA.

BUCH!

W pośpiechu omal nie sturlały się z kamiennych schodów.

STUK! STUK! STUK!

W końcu znalazły się na trawniku, który czasami pełnił również funkcję szkolnego boiska. W powietrzu migotało jeszcze kilka rozżarzonych punkcików. Po zetknięciu z morską tonią natychmiast zgasły.

— No i co? — fuknęła Umoczek. — Gdzie ten chłopak, co niby wybuchł?

— Nie ma go tutaj właśnie dlatego, że doszło do eksplozji — wyjaśniła Heca.

— A może usłyszałaś pomruki wulkanu?

— Nie! To nie było to! Ten chłopiec naprawdę wybuchł!

— Gorszych bzdur, jak żyję, nie słyszałam!

— Skoro to bzdury, to dlaczego w dachu biblioteki jest teraz wielka dziura?

— A jest?

— Tak! Chodźmy! — Dziewczynka chwyciła

bibliotekarkę za rękę i zaciągnęła z powrotem na górę.

— Znowu to samo! — narzekała panna Umoczek.

Ale kiedy wróciły do biblioteki, zastały tam coś przedziwnego. W miejscu, gdzie przedtem siedział Skorek, tkwił teraz ogromniasty głaz.

— Tego wcześniej nie było! — zapewniła Heca.

— Co ten kamień robi w mojej bibliotece?! — warknęła ostro kobieta. — Prędko! Dajcie ciastko! Albo lepiej dwa! W tak nagłym przypadku bez herbatnika nie ujedziemy za daleko!

Wtem zza regałów wyfrunęła jakaś ptasia sylwetka. Czarny fartuch falował za nią niczym skrzydła.

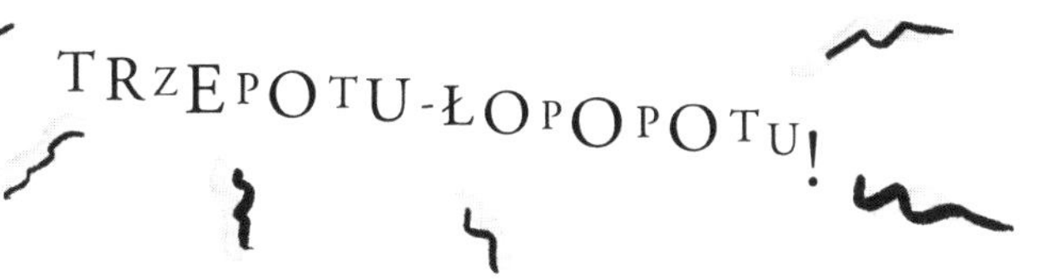

— A niech mnie! O ile się nie mylę, to prawdziwy meteor! — oznajmiła.

Na dźwięk jej głosu dziewczynce przebiegł po plecach zimny dreszcz. Kobieta syczała jak wąż.

— Och, doktorka Doktur! — odezwała się przymilnie panna Umoczek. —

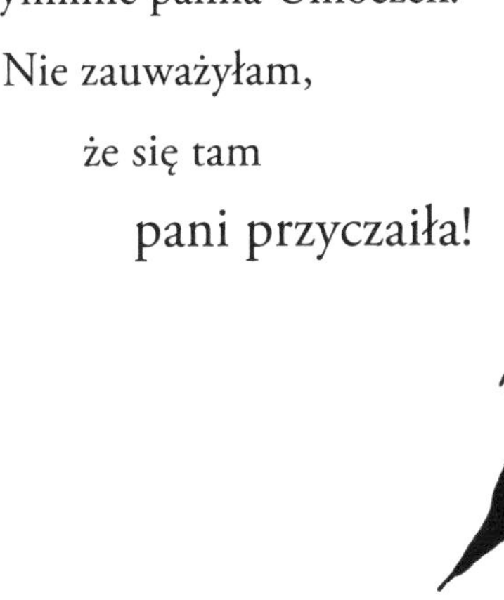

Nie zauważyłam,

że się tam

pani przyczaiła!

Rozdział 18

DOKTORKA DOKTUR

Wyszłam na moment z mojego laboratorium sprawdzić, o co ten cały raban — powiedziała cicho doktorka Doktur. Nauczycielka przedmiotów ścisłych była wysoka i elegancka. Pośrodku gęstej czarnej czupryny miała śnieżnobiałe pasmo włosów w kształcie pioruna.

— Nazywa się pani doktorka Doktor? — spytała Heca.

— Nie! — odparła stanowczo. — To byłoby zgoła niedorzeczne. Nazywam się doktorka Doktur.

— Przecież tak właśnie powiedziałam! Doktorka Doktor!

— DOKTORKA DOKTUR!

— Doktorka Doktor?

— DOKTORKA DOKTUR!

Heca poczuła się zdezorientowana.

— Dla mnie brzmi tak samo!

Nauczycielka zmrużyła czerwone oczy, a bibliotekarkę, która przysłuchiwała się tej wymianie słownej, obleciał strach, że rozmowa przybrała niepomyślny obrót.

— Uzyskałam tytuł doktora, a noszę nazwisko Doktur. D. O. K. T. U. R. Zwę się więc doktorka Doktur. Doktur a doktor to zupełnie co innego!

— No tak, zapisuje się inaczej! — zakpiła Heca.

— „Doktur" również wymawia się zupełnie inaczej niż „doktor".

— Odrobinkę! Pani Doktur, proszę o doktora! — Jako miłośniczka żartów i żarcików, napotkawszy kogoś o tak nietypowym nazwisku, dziewczynka nie potrafiła powstrzymać się od dowcipkowania. — Nie wiem, co robić, czuję się jakaś rozbita. **Proszę się pozbierać!** • Niech pani Doktur wezwie doktora! Połknęłam kieszonkowe! **Należy to zażywać i się nie rozdrabniać!** • Doktorko Doktur! Chyba potrzebuję okularów! **Och, zdecydowanie, bo weszła pani do sklepu rybnego!**

— Ha! Ha! — zachichotała panna Umoczek. — Tego ostatniego jeszcze nie słyszałam!

— Mam do pani pytanie, doktorko Doktur. — Heca wróciła do tematu. — Dlaczego położyła pani tutaj ten meteor?

Doktorka Doktur przymrużyła oczy jeszcze bardziej.

— Nie położyłam — odpowiedziała spokojnie, jak gdyby w kłamaniu miała wielką wprawę. — Musiał sam tu wylądować. Stąd ta dziura!

— Nieprawda! — Heca była coraz bardziej wytrącona z równowagi. — Skorek siedział dokładnie w tym miejscu, gdy nagle wystrzelił w powietrze i przebił się przez dach!

Teraz z kolei ubawiła się pani Doktur. Zarechotała iście szyderczo i spojrzała na pannę Umoczek, a ta posłusznie jej zawtórowała.

— HA! HA! HA!

— Zatem wiemy już, dlaczego trafiłaś do **AKADEMII BEZLITOSNEJ** — stwierdziła z satysfakcją nauczycielka. — Za kłamstwo!

Heca poczuła, jak fala wściekłości wzbiera w niej od palców stóp i niczym tsunami pędzi w górę. Na szczęście, zanim wypłynęła z jej ust potokiem gniewnych słów, dziewczynka zdążyła się opanować.

— Nie — odpowiedziała cierpko. — Ja nie kłamię. Przeniesiono mnie do tej szkoły za podłożenie dyrektorce poduszki śmierdziuszki, ale ja tego nie zrobiłam!

— Ależ skąd! — zapiała drwiąco doktorka Doktur. — Paskudna mała kłamczucho!

— Nie jestem żadną kłamczuchą! Rodzice nauczyli mnie odróżniać dobro od zła!

— Doprawdy? I gdzież się teraz podziewają?

— Już ich z nami nie ma — wyznała osierocona dziewczynka, a jej oczy natychmiast straciły blask.

— Gdyby byli tu z nami, z pewnością spaliliby się ze wstydu. Spójrz tylko na siebie. Od razu widać, że masz coś na sumieniu! Panno Umoczek! Proszę zawezwać Wściuba do naprawy dachu. Tymczasem wybaczcie, ale muszę przypilnować uczniów, którzy **ZOSTALI PO LEKCJACH.**

To powiedziawszy, nauczycielka skłoniła się lekko i skierowała do drzwi.

Heca zebrała się na odwagę i zawołała za nią:

— PROSZĘ

SIĘ

ZATRZYMAĆ!

Rozdział 19

HERBACIANA KATASTROFA

Szok, że ktoś ośmielił się na nią krzyknąć, zatrzymał wykładowczynię w pół kroku. Roztaczała aurę tak zjadliwej nieżyczliwości, że nikt nigdy nie podniósł w jej obecności głosu. Choćby o ton. Otworzyła oczy szerzej ze zdziwienia, lecz zaraz potem uśmiechnęła się złowróżbnie.

— Wygląda na to, że nowa uczennica rozkazuje nauczycielom! — zauważyła.

— Nie chciałam być niegrzeczna, ale… — zająknęła się Heca.

— Och! Słyszała pani, panno Umoczek? Ona nie chciała być niegrzeczna!

Bibliotekarka uniosła wzrok znad herbaty.

— Bardzo przepraszam, ale akurat nie uważałam. Próbowałam wykonać diabelnie misterny myk z **podwójnym maczaniem!**

Rzeczywiście, panna Umoczek trzymała w palcach nie jeden, lecz dwa czekoladowe paluszki, które w zsynchronizowany sposób zamaczała w wyraźnie już czekoladowej herbacie.

Jak się okazało, maczała je w płynie zbyt długo, więc się rozpuściły.

PLUMK! PLUMK!

— NIEEEEEEEEE! — zawyła żałośnie bibliotekarka. — TO HERBACIANA KATASTROFA!

— Widziałam, co widziałam, pani... Doktur! — upierała się Heca.

— Ale Skorek nie mógł **wystrzelić** w powietrze! — odparła doktorka Doktur.

— Dlaczego nie?

— Ponieważ cały czas odsiaduje **KARĘ** w mojej pracowni chemiczno-fizycznej.

Heca na moment zaniemówiła, po czym stwierdziła:

— Ale to niemożliwe!

— Nie tylko możliwe, ale i prawdziwe. Proszę bardzo, chodź i sama się przekonaj!

Rozdział 20

CUDOWNA KRAINA PRZEDZIWNOŚCI

Wykładowczyni i Heca pospieszyły labiryntem korytarzy, aż dotarły do pracowni chemiczno-fizycznej.

Nauczycielka otworzyła drzwi i skinęła głową.

— Zapraszam! — Gestem wskazała olbrzymią klasę i przepuściła Hecę przodem.

W środku dziewczynka zobaczyła tęgiego jegomościa w przymałym fartuchu laboratoryjnym i czerwonych grubych rękawicach gumowych. Stał przed chłopcem, który był odwrócony do niej plecami.

Mężczyzna uśmiechał się złowieszczo, odsłaniając srebrne uzębienie. Jego łysą jak kolano głowę zasłaniała, siedząca na jej czubku, kocica o imieniu Licho. Nawet z jednym okiem i jedną nogą stanowiła niezwykle mało przekonującą perukę. Warto jednak wspomnieć, że kot nie jest najgorszym wyborem, gdy idzie o maskowanie łysiny.

Puszysty ogon wiewióry od razu zdradzi każdego.

CHRUP!

CHRUP!

Tarantula utkałaby nam na twarzy gęstą sieć — brak widoczności gwarantowany.

PLĄTU-PLĄTU!

Królik nieustannie chrupie marchewki. Nikt nie chce czupryny, która ciamka.

CIAMK!

Sowy podrapałyby ci czerep ostrymi szponami.

DRAAP! DRAAP!

SKROB!

← Niedźwiedź, nawet tyci niedźwiadek, jest zbyt ciężki.

UCH!

Małpa nie usiedzi w miejscu. ↗

Stale podskakiwałaby na pupie.

← Wydra jest o wiele za śliska

i zaraz by się ześlizgnęła.

ZIUUU!

Owca robiłaby →

za dużo hałasu.

← Pingwin pewnie zniósłby ci na głowie jajo.

PAC!

Za to lisy capią. →

I nie znoszą szamponu. Ani odżywki.

SMRÓD!

Mruk nosił bardzo dziwne okrągłe okulary. Nie było w nich zwykłych szkieł — zamiast tego na każdej z soczewek znajdowała się nieustannie wirująca **spirala**. Efekt był hipnotyzujący.

— Mruku! Natychmiast je zdejmij! — warknęła Doktur.

Mężczyzna ściągnął okulary i schował do kieszeni fartucha. Jednonoga kocica obudziła się i prychnęła.

— PRYCHHHHH!

Widząc doktorkę Doktur i Mruka obok siebie, Heca rozpoznała w nich sylwetki, których cienie widziała na ścianach korytarza tuż przed zakończeniem lekcji.

— A do czego służą te okulary? — spytała.

— To tylko taki mały gadżet do zabawiania dzieciaczków! — odpowiedziała kobieta.

— **Jego** pytałam! — upomniała ją Heca.

Doktur zrobiła kwaśną minę.

— Obawiam się, że mój asystent jest dość małomówny. W zasadzie nie używa słów.

— W ogóle się nie odzywa? — zdziwiła się Heca.

— Nie, nie, po prostu komunikuje się jedynie pomrukami. Prawda, Mruku?

— **HMM!** — odmruknął Mruk.

— Co to znaczy? — zainteresowała się dziewczynka.

— Tak! — wyjaśniła nauczycielka. — **Jeden pomruk na tak, dwa pomruki na nie.**

— **HMM!** — mruknął twierdząco Mruk.

Heca rozejrzała się po laboratorium. Było cudowną krainą przedziwności. Nad całą klasą górowało ogromne okno witrażowe, podobne do tych, które widuje się w kościołach. Tyle że witraż przedstawiał doktorkę Doktur we własnej osobie! Złowrogo uśmiechniętą i otoczoną lewitującymi wokół niej elementami laboratoryjnych sprzętów.

Trudno o bardziej zapatrzoną w siebie osobę!, pomyślała Heca, ale nie odważyła się powiedzieć tego na głos.

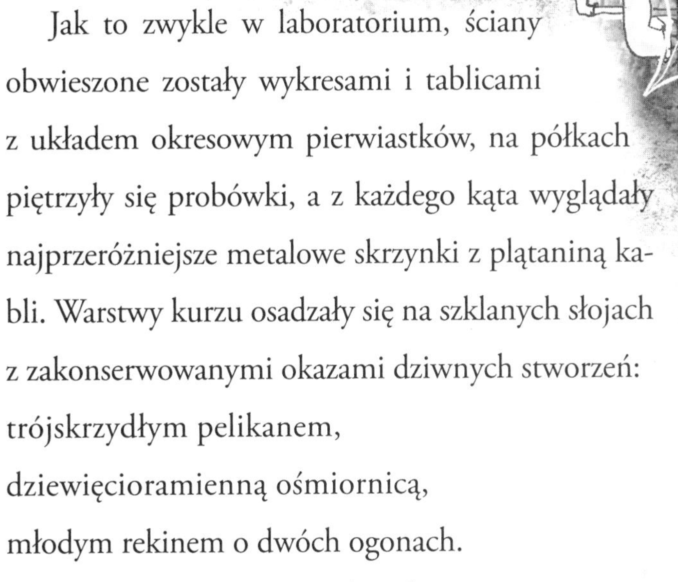

Jak to zwykle w laboratorium, ściany obwieszone zostały wykresami i tablicami z układem okresowym pierwiastków, na półkach piętrzyły się probówki, a z każdego kąta wyglądały najprzeróżniejsze metalowe skrzynki z plątaniną kabli. Warstwy kurzu osadzały się na szklanych słojach z zakonserwowanymi okazami dziwnych stworzeń:

trójskrzydłym pelikanem,

dziewięcioramienną ośmiornicą,

młodym rekinem o dwóch ogonach.

Do tego w wielkich gablotach umieszczono wypchane okazy zwierząt:

stado ptaków dodo,

tygrysa szablozębnego,

sępa w locie,

czarnego nosorożca,

gigantycznego nietoperza,

stojącego na dwóch łapach, wyjącego wilka przypominającego wilkołaka,

mamuta włochatego,

krokodyla z jednym dużym okiem pośrodku głowy, białego goryla z lśniącymi czerwonymi ślepiami, bliźnięta syjamskie niedźwiedzia polarnego z otwartymi paszczami.

Co ciekawe, na regałach można było znaleźć także nakręcane zabawki mechaniczne — naturalnych rozmiarów sowę, królika i żółwia. Wyglądały na ręcznie wykonane. Tuż przy nich stało niepokojąco realistyczne, woskowe popiersie doktorki Doktur.

Na obszernej półce powyżej leżał fragment kamienia księżycowego, ostygła gruda płynnej niegdyś lawy, prawdopodobnie pochodzącej z miejscowego wulkanu, a nieco dalej, w miejscu po brakującym eksponacie, spoczywał tylko kurz. W głowie Hecy kłębiły się podejrzenia. Czy stąd właśnie wziął się tamten meteor?

Jeszcze wyżej na regale postawiono ogromną maszynę z zestawem ciasno zwiniętych w szpulę przewodów.

— Co to takiego? — spytała Heca, wskazując dziwny przedmiot.

— Och! Zdaje się, że nie uważałaś na lekcjach fizyki — skomentowała kąśliwie Doktur. — Będziemy musieli zorganizować ci zajęcia uzupełniające. Oczywiście elektromagnes.

— Do czego służy?

— Pozwól, że zademonstruję. Mruku, nie masz nic przeciwko, prawda?

— **HMM! HMM!** — odpowiedział asystent, co znaczyło „nie".

— Świetnie! — ucieszyła się nauczycielka. — Mruk ma metalowe zęby, ponieważ w dzieciństwie jadł za dużo słodyczy. I kiedy przełączę ten przełącznik...

Mężczyzna chwycił się najbliższego blatu, a kocica wbiła pazury w jego czoło. Doskonale wiedzieli, co się święci.

Doktorka Doktur uruchomiła elektromagnes. Maszyna zabuczała, a siła pola magnetycznego wyrwała Mruka z miejsca i przeciągnęła głową naprzód przez całe laboratorium.

ZIUUU!

Rozdział 21

METALOWE ZĘBY

Metalowe zęby Mruka przywarły do elektromagnesu.

SZCZĘK!

— HMM! HMM! — burknął.

— To najsilniejszy elektromagnes na świecie! — pochwaliła się wykładowczyni, zanim wyłączyła urządzenie.

Jej asystent natychmiast upadł na podłogę pracowni.

BACH!

— HMM! HMM!

— Dziękuję ci za wzięcie udziału w eksperymencie, Mruku!

— HMM! HMM!

— PRYCHHHH! — wtrąciła kotka.

Heca podbiegła do leżącego mężczyzny.

— Nic panu nie jest? — zapytała i spróbowała pomóc mu wstać, ale Murk odtrącił jej dłoń.

PRASK!

— **HMM! HMM!**

Dopiero teraz Heca zauważyła chłopca, który odbywał w pracowni **POLEKCYJNĄ KARĘ**.

KLOC!

Jej przyjaciel z twarzą pozbawioną jakiegokolwiek wyrazu siedział nieruchomo na stołku.

— Kloc! KLOCU! To ja, Heca! — odezwała się, ale on nie zareagował. — Co ci się stało?

Nic nie odpowiedział. Nawet nie mrugnął. Czyżby te dziwne **spirale** w okularach Mruka go **zzombifik-@-wały**?

Dziewczynka zwróciła się do nauczycielki:

— Co zrobiliście Klocowi? I gdzie jest Skorek? Mówiła pani, że go tu znajdziemy!

— Ha! Ha! — Kobieta zachichotała pod nosem.

— Nie widzę w tym nic śmiesznego!

— Uciesznejest to, że Skorek przysiadł sobie tuż obok, prawda, Mruku?

— **HMM!** — zgodził się Mruk.

— Trudno go wypatrzyć, dlatego że jest taki niski — stwierdziła Doktur. — Mruku, byłbyś tak uprzejmy?

Technik laboratoryjny poczłapał do pierwszych ławek, po czym pochylił się, chwycił drobnego chłopca i podniósł go za nos! W pierwszej chwili widać było tylko tył jego głowy, ale Mruk zaraz obrócił dyndającego bezwładnie malca, a Heca westchnęła z zaskoczenia, gdy okazało się,

że to rzeczywiście...

SKOREK!

Rozdział 22

ZDECYDOWANIE ZŁOWIESZCZE

Jakim cudem Skorek ledwo co eksplodował nad budynkiem szkoły, a pięć minut później odnalazł się w **KOZIE**?

W tej szkole działo się coś zdecydowanie złowieszczego.

Mruk pomajtał chłopcem i błysnął metalowymi zębami w grymasie, który prawie przypominał uśmiech.

— Skorku! — odezwała się doktorka Doktur. — Nasza nowa uczennica myślała, że wybuchłeś! Czy to nie przezabawne?

— **HMM! HMM! HMM!** — zastękał Mruk, udając rozbawienie.

— Mruku? — powiedziała kobieta.

— HMM?

— Dopilnuj, proszę, żeby ta młoda dama bezpiecznie wróciła do swojego pokoju.

— Znam drogę! — rzuciła prędko Heca, w nadziei, że uda jej się kontynuować przeszpiegi.

— Nie, nie, nie — powiedziała fałszywie łagodnym głosem belferka. — Nalegam. Przecież jesteś tu dopiero od wczoraj. Mruku, czy widziałeś gdzieś dozorcę Wściuba?

— HMM! — odmruknął.

— Poleć mu, proszę, niech dopilnuje, żeby panna...

— Heca. Wołają na mnie Heca.

— Jakże trafnie. Niech Wściub dopilnuje, żeby panna Heca pozostała całą noc w swoim pokoju. Nie chcielibyśmy, żeby coś jej się przytrafiło — dodała z błyskiem podłości w oku.

— HMM! — przytaknął jej asystent i puścił nos Skorka. Nieborak osunął się na podłogę.

PACH!

SKWIERK!

Heca dostrzegła coś superdziwnego. Chłopiec

był przemoczony, a jednocześnie skwierczał jak pieczona kiełbaska.

— SKORKU? Dobrze się czujesz? — spytała i wyciągnęła do niego rękę.

— Nie dotykaj go! — warknęła doktorka Doktur.

— Dlaczego?

— Nieszczęsny dzieciak jest potwornie zapchlony. Nie może przestać się drapać i dlatego tak się rozgrzał.

Heca rzuciła się w stronę kolegi.

— MRUK! ŁAP JĄ! — poleciła nauczycielka.

Asystent posłusznie ruszył na dziewczynkę.

Hecę ogarnęło przerażenie. Cofnęła się przed tropiącym ją osiłkiem i skuliła za jednym ze stołków. Wielkimi jak niedźwiedzie łapy rękami mężczyzna raz-dwa odrzucił na bok przeszkodę.

FRUU!

Stołek przeleciał przez salę i omal nie trafił Kloca w głowę, nim roztrzaskał się o ścianę.

T R A C H!

Mruk podniósł dziewczynkę za uszy.

— Chętnie się przejdę! — zapewniała wleczona korytarzem Heca.

TUP!

TUP!

TUP!

Rozdział 23
DŁUGI MROCZNY TUNEL

Po kilku bolesnych minutach Heca znalazła się w swoim ciasnym pokoiku. Wściub upewnił się, że do rana nigdzie nie powędruje, kiedy…

SZCZĘK!

…zamknął drzwi na klucz.

— Słodkich snów, Wasza Wysokość! — pożegnał dziewczynkę i wraz z Mrukiem oddalili się korytarzem, rechocząc w najlepsze. Nawet Licho, jednooka i jednonoga kotka usadowiona na głowie Mruka, wydała z siebie nikczemny śmieszek.

— PRYCH! PRYCH! PRYCH!

Licho była bez wątpienia najpodlejszym kociskiem na świecie. Inne warte odnotowania przykłady wrednych dachowców to:

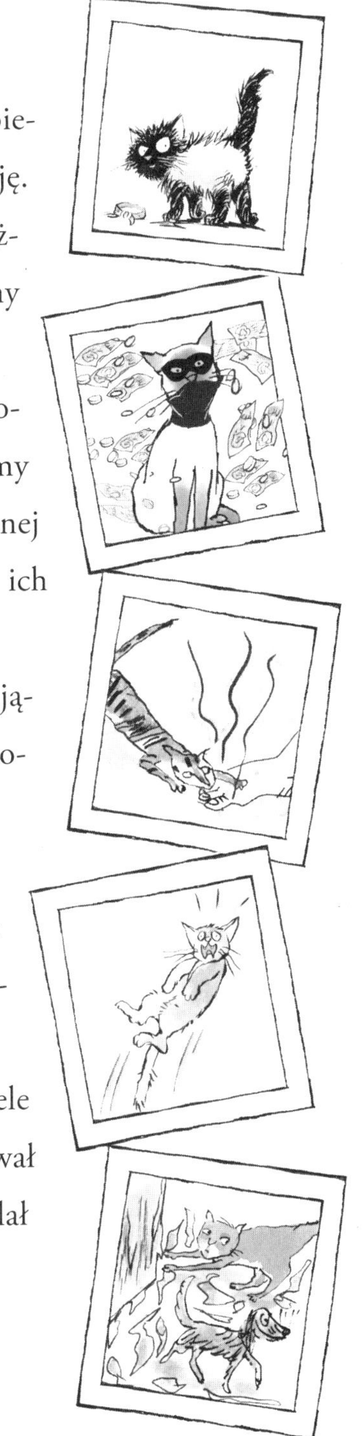

Grubcio, który jadał małe pieski na śniadanie, obiad i kolację. A dużego psa, ze wszystkimi możliwymi dodatkami, na niedzielny obiad.

Łotr. Ten futrzak okradł swoich właścicieli z tak dużej sumy pieniędzy, że zlecił budowę własnej rezydencji, o wiele większej niż ich własna.

Ogryzek. Mruczek rozkoszujący się gryzieniem palców stóp swojego pana.

Buu, kocur szczerzący kły i prychający na staruszki, które próbowały go pogłaskać. Biedaczki zwiewały, aż się kurzyło.

Psuja — gdy tylko właściciele wychodzili z domu, pazurami rwał meble na strzępy, a winę zwalał na psa.

Bąbel. Pupil, który domagał się miseczki szampana zamiast mleka.

Kleks — uwielbiał psuć dziecięce przyjęcia. Zżerał całą galaretkę i lody, rozrywał warstwy opakowania w grze *podaj paczkę* i przebijał pazurami balony.

Plujek z lubością wykasływał swoim właścicielom kłaczki wprost do talerza.

Heca pomasowała wciąż pulsujące bólem i gorące od tarmoszenia uszy. Tym razem skończyło się porażką, ale to tylko wzmocniło jej postanowienie, żeby odkryć, co tak naprawdę działo się z dziećmi w **AKADEMII BEZLITOSNEJ**. Wspięła się, żeby wyjrzeć przez maleńkie okienko. Udało jej się wypatrzyć budynek biblioteki. Mimo

zapadającego zmroku spostrzegła na dachu popękane i rozsypane wokół dziury dachówki.

Gdyby otwór faktycznie wybił spadający z nieba meteor, dachówki rozsypałyby się do wewnątrz, a nie na zewnątrz.

Śledztwo najlepiej przeprowadzać nocą, dlatego Heca odczekała, aż zajdzie słońce i zabrała się do pracy.

Podłoga w jej pokoju była gmatwaniną wielkich kamiennych płyt. Każda ważyła tyle, co tłusty kot — jeden z tych przewielgachnych, które ledwo da się unieść. (A kiedy dasz radę podnieść takiego spaślaka, od razu musisz go odstawić z obawy, że zwierzaka upuścisz. To koty, które trzeba wozić taczką. Zapewne znasz ten typ).

Wzdłuż płyt biegły rowki, a w nich dziecięce paluszki mogły trochę podłubać. Heca zauważyła, że jeden z kafli w rogu pokoju lekko klekotał, kiedy na niego następowała. Gdy obwiodła palcami brzeg, zobaczyła, że ktoś wyskrobał tam warstwę zaprawy. Dziewczynka wbiła pod kamień czubki palców i przekonała się, że jest obluzowany. Uniosła go i delikatnie odłożyła na bok.

Na spodzie kamiennego bloku ktoś wypisał kredą słowa:

STRZEŻ SIĘ NIEWIDZIALNYCH DRZWI!

Ich autorem musiał być poprzedni lokator. Kiedy Heca zerknęła na puste miejsce, zobaczyła długi mroczny tunel. Nie miała pojęcia, dokąd mógł prowadzić, ale drobna dziewczynka łatwo przeciśnie się przez otwór, aby to sprawdzić. Wskoczyła do dziury i zasunęła za sobą fragment posadzki.

Tunel był chropowaty i nierówny, więc zapewne został wykopany ręcznie. Kończył się nad sufitem szkolnych ubikacji. Te zaś wydzielały iście średniowiecznie **smrodastyczne*** zapachy.

---

* Prawdziwy wyraz, do sprawdzenia w Walliamsowniku, najrzetelniejszym źródle encyklopedycznym w znanym nam wszechświecie.

SMRODOMETR

Heca podważyła jeden z drewnianych paneli sufitowych i przesunęła się w dół. Następnie, balansując na mokrej muszli klozetowej, z powrotem zasłoniła otwór. Wtedy właśnie jej stopa ześlizgnęła się z brzegu deski i wpadła do klozetu.

PLUSK!

Heca skrzywiła się, czując, jak przywiera do niej wilgoć. W toalecie mogło pływać wszystko. Była przekonana, że dzieciaki z **AKADEMII BEZLITOSNEJ** nigdy nie spuszczały wody. Kiedy sięgnęła po łańcuszek od spłuczki, żeby się czegoś chwycić, okazało się, że w ogóle go tam nie ma. Dziewczynka wyrwała stopę z kolanka muszli i poczłapała do drzwi, pozostawiając za sobą ślady z klozetowych nieczystości.

PLASK! PLASK! PLASK!

Drzwi otworzyły się na zamkowy dziedziniec i od razu poczuła na twarzy morską bryzę. Za cel obrała sobie Książnicę Potępienia. Chciała dokładniej zbadać uszkodzenia w dachu. Gdyby zdołała udowodnić, że nie są one dziełem meteoru, podejrzenia padłyby na doktorkę Doktur.

Wokół panowały głębokie ciemności, ale zamek rozświetlał natarczywy blask księżyca. Heca trzymała się blisko kamiennych murów, żeby pozostać niezauważoną.

Na palcach podkradła się do rynny przy ścianie biblioteki. Kiedy przyłożyła do niej dłonie, okazało się, że metal był mokry i śliski, ale udało jej się jakoś podciągnąć. Już miała ruszyć w górę, gdy nagle poczuła, że coś lub ktoś się za nią czai.

Jej ramienia dotknęła dłoń. Struchlała Heca otworzyła usta, ale nie potrafiła dobyć z siebie krzyku…

Rozdział 24

ROBAK

CICHO! — syknął jej do ucha głos tajemniczego ktosia.

Dziewczynka powoli obróciła głowę i zobaczyła uśmiechniętą twarz.

— Kim pan jest? — szepnęła, kiedy przyjrzała się drobnemu, niechlujnie wyglądającemu mężczyźnie. W jego gęste i sztywne czarne włosy oraz brodę powplątywały się źdźbła trawy, gałązki i zeschłe liście. **SZELEŚCIŁY** na zawodzącym wietrze, wtórując szumowi rozbijających się o skały fal.

ŁUUSZSZSZ!

— Jestem Robak!

— Robak? — zdziwiła się Heca.

— Takie mam przezwisko. Zawsze trzymam w kieszeniach robaki, pewnie dlatego tak na mnie wołają. Pracuję tu jako ogrodnik — wyjaśnił. Robak wymawiał wyrazy gardłowo, a barwa jego głosu podziałała na dziewczynkę kojąco.

— Ja jestem Heca. Teraz też ma pan przy sobie jakieś żyjątko?

— Tylko jedno. Mojego Robalka! — rzekł radośnie Robak.

— Imię w sam raz! Pewnie z rok pan nad nim myślał! — skomentowała sarkastycznie dziewczynka.

Robak wyciągnął z kieszeni płaszcza wijącą się dżdżownicę i podsunął ją Hecy pod nos.

— Czyż nie jest piękna?

— „Piękna" nie jest pierwszym słowem, jakim opisałabym dżdżownicę!

— Nie bądź taka! Ranisz jej uczucia! — powiedział Robak. Ucałował swoje zwierzątko w nosek (cóż, mam nadzieję, że był to nos — u dżdżownic trudno poznać, który koniec jest który) i delikatnie schował je do kieszeni.

— Jak poznać, który koniec dżdżownicy jest który? Trzeba połaskotać ją pośrodku i sprawdzić, z której strony się zaśmieje! — zażartowała Heca.

— HA! HA! — roześmiał się Robak.

— Dlaczego myśleli, że dżdżownica wyszła za mąż? Bo miała obrączkę*!

— HA! HA!

— Dlaczego pomyśleli, że dżdżownica nie żyje? Bo gryzła glebę!

---

*Zwoje okołoprzełykowe, pełniące u dżdżownic funkcję mózgu, są ze sobą połączone, tworząc tzw. obrączkę okołoprzełykową.

— HA! HA!

— Nie do wiary, śmieszą pana moje dowcipy!

— Och, przepadam za dobrym dowcipem. Nawet tak kiepskim, że aż dobrym jak te!

— Aha — sapnęła nieco poirytowana Heca.

— Na wyspie nikt nie żartuje. A ja siedzę tu już pięćdziesiąt lat.

— Wielkie nieba!

— Zacząłem jako uczeń.

— Naprawdę?

— Kiedy odbębniłem swoje, dyrektorka dała mi posadę ogrodnika. Nie miałem dokąd pójść. Ale teraz czas na twoje wyjaśnienia…

— Moje? — Heca usiłowała zgrywać niewiniątko.

— Tak, wytłumacz się! Siedziałem sobie spokojnie w szopie — rzekł i wskazał na niewielką drewnianą chatkę na skraju klifu — razem z Robalkiem piliśmy herbatkę, gdy nagle zobaczyłem jakąś upiorną postać przemykającą w ciemnościach. Wszystkie dzieci mają przykaz być o tej porze już w łóżkach, więc co panienka porabia poza swoim pokojem?

— Cóż... ja... to znaczy... no wie pan — jąkała się Heca. — Chciałam spróbować naprawić dziurę w dachu biblioteki.

— Tę, przez którą wystrzelił jakiś chłopak? — upewnił się Robak.

— Pan też to widział? — Hecy aż zaparło dech z podekscytowania.

— Widziałem, a jakże! Przeleciał w przestworzach jak...

— METEOR! — powiedzieli jednocześnie.

— O kurteczka! Czyli jednak nie zbzikowałam!

— Nie, chyba że zbzikowaliśmy oboje — odparł ze śmiechem ogrodnik.

— Myszkowałam wtedy w bibliotece i wszystko widziałam na własne oczy. To był Skorek, najmniejszy chłopiec w szkole.

— Poważnie?

— Z zadka buchnęły mu płomienie.

— Brzmi boleśnie.

— A potem *śmignął* w przestworza i eksplodował — opowiadała dalej Heca.

— Niebo rzeczywiście rozjarzyło się płomieniami.

— Tylko jakim cudem pięć minut później Skorek siedział **za karę** w klasie pani Doktur?

— Co ty powiesz! — Ogrodnik zamyślił się na moment. — Może dlatego widziałem, jak Mruk nakazuje przewoźnikowi, żeby zabrał go w morze…?

— Bo tam wylądował Skorek?

— Tak przypuszczam. Wybiegłem z szopy, żeby się lepiej przyjrzeć, ale dozorca… Znasz go?

— Niestety tak.

— Wściub przyłapał mnie na podglądaniu i kazał mi wracać do mojej komórki!

— A więc on też maczał w tym palce? — zastanawiała się dziewczynka.

— Czyli w czym?

— Jeszcze nie wiem.

— Jestem przekonany, że w tej szkole wyrabia się coś przedziwnego — wyszeptał.

Heca przełknęła nerwowo ślinę. W oczach mężczyzny dostrzegła przerażenie.

— Co pan ma na myśli?

— Za dużo już powiedziałem — wycofywał się Robak.

— Nie! Powiedział pan za mało!

— Musisz wracać do łóżka!

— Wcale nie! — oznajmiła twardo dziewczynka. — Nie mogę spać, mam śledztwo do przeprowadzenia! Chcę się dowiedzieć, co kombinuje ta cała doktorka Doktur!

— Mów ciszej! — upomniał ją Robak. — Jeśli cię przyuważą, nie tylko ty wpadniesz jak obierki w kompost. Oboje użyźnimy ogród!

— Niech mi pan wszystko ujawni!

Robak wiercił się niespokojnie.

— O nie.

— O tak! — odpowiedziała Heca na tyle głośno, że ogrodnik aż się wzdrygnął.

— To zbyt niebezpieczne! — tłumaczył.

— Uwielbiam niebezpieczeństwo!

— Możesz napotkać absolutnie zatrważające rzeczy!

— Uwielbiam bać się i mieć ciarki!

Robak się uśmiechnął.

— W takim razie chodź ze mną, jeśli masz odwagę…

— Mam odwagę! Całe mnóstwo! To pan może podążać za mną! — oświadczyła Heca i wspięła się na palce, żeby trochę urosnąć.

Ogrodnik pokręcił głową.

— Przecież nie znasz drogi!

— Ach, no tak. Proszę, panowie przodem!

Już po chwili Robak poprowadził dziewczynkę kamiennymi schodami

w dół,

w głąb

najmroczniejszych

czeluści

zamku…

Rozdział 25

NIEWIDZIALNE DRZWI

Heca nie należała do strachliwych dziewczynek, ale w podziemiach szkoły czyhało pełno różnych okropności: nietoperze, szczury, pająki wielkości dłoni…

Ciemność królowała tam niepodzielnie. Heca weszła w sam środek pajęczyny, która w mig ją oplotła.

— FUJ! — wrzasnęła, gdy wielki włochaty stwór wpełzł jej na głowę.

Robak zdjął z niej ogromnego osobnika.

— Nie bój się, moje maleństwo — uspokajał pająka.

Dziewczynka fuknęła głośno i spytała:

— Co my tu właściwie robimy?

— Nocami w podziemiach obserwuję dziwne łażenie w tę i we w tę.

— Kto chodzi w tę, a kto we w tę?

— Widziałem nauczycielkę fizyki, doktorkę doktorkę Doktur...

— Za dużo o jedną „doktorkę".

— Doktorka Doktur oraz jej asystent chodzili i w tę, i z powrotem. Weszli z wielkim worem jak na ziemniaki, który pomocnik niósł przewieszony przez ramię, a wyszli bez worka...

— A co trzymali w środku?

— Tego nie wiem. Ale był wystarczająco duży, żeby zmieścić w nim...

— Dziecko? — spytała Heca.

Ta myśl tak go poraziła, że Robak nie mógł wydusić słowa, więc skinął tylko głową.

— Musimy dowiedzieć się, co oni robią — upierała się dziewczynka.

Mijali kolejne piwnice, a każda wydawała się jeszcze ciemniejsza od poprzedniej. Zebrało się tam mnóstwo szmelcu: pokiereszowane zbroje, stare olejne obrazy, popiersia z brązu, dywany, nawet zardzewiała armata z czasów, gdy

AKADEMIA BEZLITOSNA szczyciła się mianem warowni. Było też trochę gratów z mniej odległej przeszłości: szkolne krzesła z brakującymi nogami, wyświechtany sprzęt do skoków przez kozła i trampolina z dziurą wielkości ucznia.

— Tutaj chyba nikogo nie ma — szepnęła Heca.

— Ciii! — uciszył ją Robak. — Słyszę czyjeś kroki!

I rzeczywiście, od ścian rupieciarni echem odbijało się tupanie. Co najmniej dwóch osób.

— Prędko, zamieramy w bezruchu! — przynaglił ogrodnik. — Robalku! Przestań się wić! — upomniał dżdżownicę w swojej kieszeni.

Kiedy stali nieruchomo jak posągi, zobaczyli przesuwające się po ścianach cienie dwóch sylwetek. Byli to doktorka Doktur i Mruk — z wielkim workiem na plecach. Ale co lub kto siedział w środku?

Zniknęli im z oczu tak szybko, jak się pojawili. Odgłosy kroków ucichły. Robak i Heca znaleźli się przed dużą kamienną ścianą bez widocznych drzwi, a właśnie w tę stronę szli Doktur i Mruk.

— Rozpłynęli się w powietrzu! — zdumiała się dziewczynka.

— Stąd na górę nie prowadzi żadna inna droga. Jedynie po tych schodach, którymi sami zeszliśmy. Na końcu korytarza.

— STRZEŻ SIĘ NIEWIDZIALNYCH DRZWI! — wyrecytowała Heca. — Taką wiadomość ktoś wydrapał na spodzie kamienia z podłogi w moim pokoju!

— Niewidzialne drzwi? Mieszkam na wyspie od pięćdziesięciu lat i nie przypuszczałem, że gdzieś tu istnieją niewidzialne drzwi!

— Może dlatego, że są niewidzialne!

— Celne spostrzeżenie. Ale skoro powiedziano: „STRZEŻ SIĘ NIEWIDZIALNYCH DRZWI", to lepiej się ich wystrzegajmy!

— Nuda! — stwierdziła Heca. — Spróbujmy je odnaleźć!

Dziewczynka zaczęła wodzić dłońmi wzdłuż ściany w poszukiwaniu jakiejkolwiek wskazówki. Tymczasem Robak przyglądał jej się ze zdziwieniem. To spojrzenie mówiło ni mniej, ni więcej, tylko: „dziwna jesteś, wiesz?". Ale zmieniło się, gdy jej drobne palce napotkały w murze obluzowany fragment.

— Niech pan spojrzy! — Uradowana, obróciła kamień w różne strony. — Rusza się!

— Moja dżdżownica też się wierci, i co z tego?

— Może jednak coś.

Dziewczynka poruszała kamieniem w lewo, w prawo, w górę, w dół i w koło, i już miała się poddać, kiedy...

SZCZĘK!

...niczym klamka kamień otworzył ukryte w ścianie, niewidzialne drzwi.

— Ach, TE niewidzialne drzwi! Oczywiście, że o nich wiedziałem! — skłamał Robak.

— Zaraz panu nos urośnie jak Pinokiowi! — skomentowała Heca.

Drzwi były idealnie spasowane z elementami muru, dlatego zamknięte stawały się niezauważalne. Za nimi roztaczała się nieprzenikniona ciemność.

— Brawo, odnalazłaś niewidzialne drzwi. A teraz czas, żebyśmy udali się na spoczynek — zaproponował ogrodnik.

Heca pokręciła głową.

— Sen jest dla mięczaków!

Idziemy!

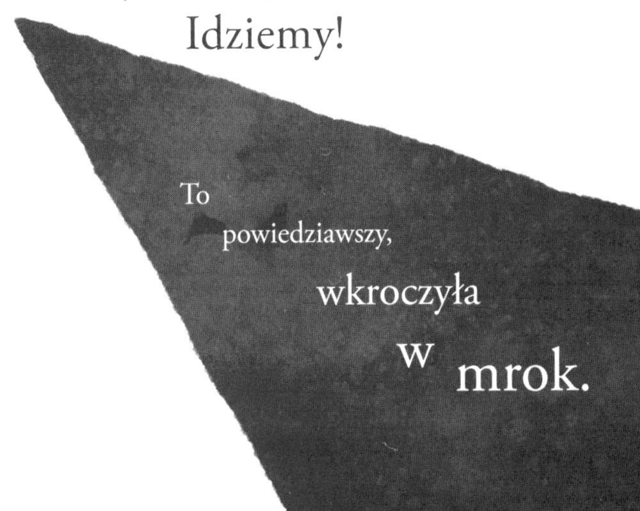

To powiedziawszy, wkroczyła w mrok.

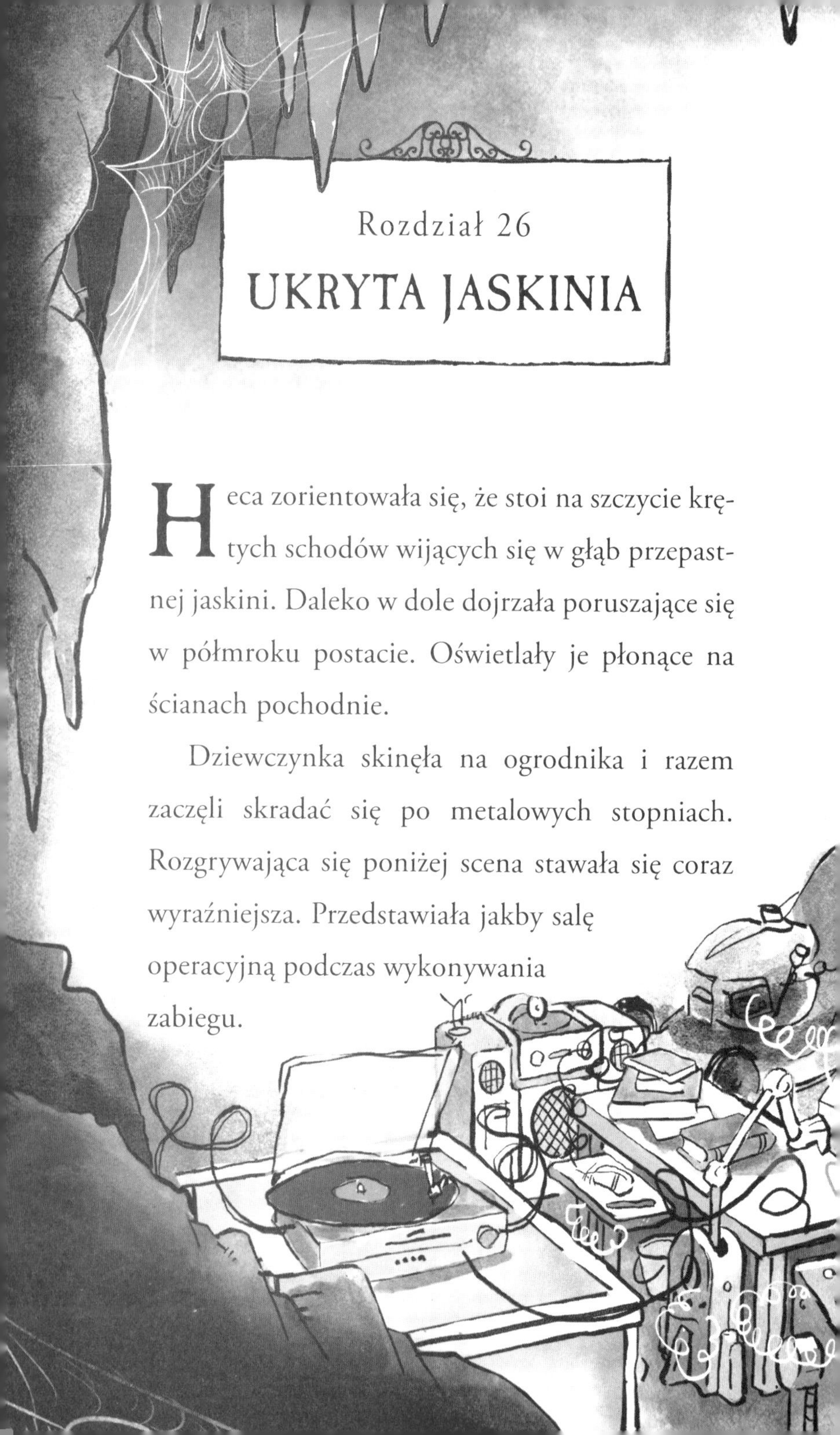

Rozdział 26

UKRYTA JASKINIA

Heca zorientowała się, że stoi na szczycie krętych schodów wijących się w głąb przepastnej jaskini. Daleko w dole dojrzała poruszające się w półmroku postacie. Oświetlały je płonące na ścianach pochodnie.

Dziewczynka skinęła na ogrodnika i razem zaczęli skradać się po metalowych stopniach. Rozgrywająca się poniżej scena stawała się coraz wyraźniejsza. Przedstawiała jakby salę operacyjną podczas wykonywania zabiegu.

Na podłodze ustawiono w kształcie półkola pół tuzina zbiorników, takich samych jak te, w których zamknięto osobliwe i fantastyczne stworzenia z pracowni. Z tym że tutaj zbiorniki były puste. Wszystkie poza **jednym**.

W środku siedział Skorek. A przynajmniej ktoś, kto go przypominał, tylko żarzył się na czerwono i żółto jak meteor. Zamienili go w POTWORA! Stwór łomotał w ścianki naczynia, próbując się wydostać. Szkło było jednak na to za grube.

ŁUP! ŁUP! ŁUP!

Pośrodku jaskini stał wielki metalowy stół, który wyglądał na przyniesiony z kuchni Popłuczyny. W poprzek blatu leżał gruby skórzany pas. Plątanina kolorowych kabli i przewodów łączyła stół z olbrzymią maszyną.

Machina została wykonana ze sprzętów domowych. Zawierała części z gramofonu, kinowego projektora, a nawet kosiarki. Kilka elementów owinięto folią aluminiową, a inne połączono za pomocą gumek recepturek.

Nad stołem, na końcu grubego metalowego łańcucha, zwisało coś, co Robak od razu rozpoznał.

— A więc tutaj trafiła moja zaginiona szklarnia! — zauważył z przekąsem.

— Ciii! — upomniała go Heca. — Usłyszą nas!

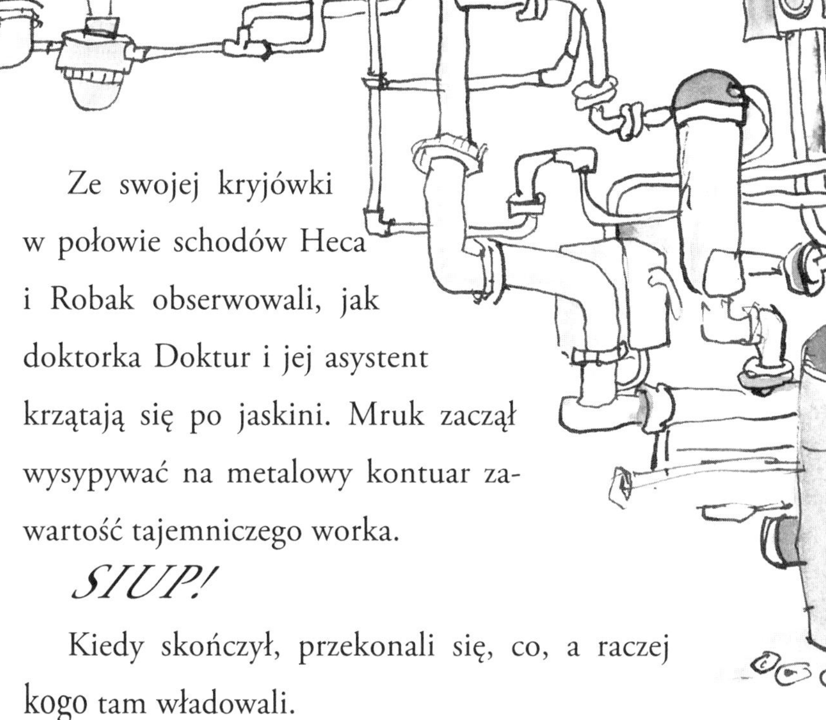

Ze swojej kryjówki w połowie schodów Heca i Robak obserwowali, jak doktorka Doktur i jej asystent krzątają się po jaskini. Mruk zaczął wysypywać na metalowy kontuar zawartość tajemniczego worka.

SIUP!

Kiedy skończył, przekonali się, co, a raczej kogo tam władowali.

— Kloc! — jęknęła dziewczynka.

Chłopiec leżał na blacie zupełnie nieruchomo.

— CIII! Za głośno! — szepnął Robak.

— Och! Nie mówcie, że go straciliśmy! — przejęła się Heca.

Ogrodnik nachylił się, żeby lepiej widzieć.

— Żyje. Spójrz, wciąż oddycha.

Klatka piersiowa Kloca unosiła się i opadała. Jeszcze nie doszło do tragedii.

— Dlaczego go tu przywlekli? — zastanawiała się.

— Pojęcia nie mam — odparł jej towarzysz. — Ale chyba zaraz się sprawa wyjaśni.

— Za mną. — Heca cichutko zeszła na sam dół, a Robak pokręcił głową i niechętnie podążył za nią. Zaraz obok schodów stała wysoka ława, na której odbywał się skomplikowany eksperyment. Probówki i zlewki pełne kolorowych cieczy bulgotały nad płomieniami palników Bunsena. Nasza para detektywów amatorów skryła się za nimi, żeby śledzić wydarzenia zza bąblujących mikstur.

— Co oni mu zrobią? — niepokoiła się Heca. — Zamierzają go zoperować?

— Nie wiem! — odpowiedział Robak.

— Mówił mi, że kto **ZOSTAJE PO LEKCJACH** z doktorką Doktur, już nigdy nie jest taki jak dawniej. I niech pan tylko spojrzy na biednego Skorka.

— Potworność.

Mruk przypiął Kloca skórzanym pasem do metalowego stołu. Następnie pospieszył do łańcucha i zaczął opuszczać szklarnię.

— NIE TAK PRĘDKO! — skarciła go szalona naukowczyni.

Mężczyzna zwolnił tempo, a szklarnia ze szczękiem osiadła na podłodze.

SZCZĘK!

— Czy plomba jest na miejscu? — warknęła nauczycielka.

Mruk przesunął serdelkowate palce wzdłuż dolnych krawędzi szklarni i skinął głową.

— Dobra robota, Mruku. Czas na **POLE SIŁOWE**.

Doktur pociągnęła za dźwignię i…

WZZZZZ!

Coś na kształt pioruna zatańczyło wokół szklanej konstrukcji. Wyglądałoby wręcz pięknie, gdyby nie było śmiercionośne.

Potem kobieta podeszła do machiny.

— Ach! Moja **machina do monsteryfikacji**! — zagruchała i na moment przytuliła się do urządzenia.

— Czym jest **machina do monsteryfikacji?** — zapytał Robak.

— Myślę, że to maszyna do zmieniania ludzi w potwory — zgadywała Heca.

Doktur założyła gogle i czarne grube rękawice, po czym otworzyła drzwiczki w maszynie. Za pomocą szczypiec uniosła coś czerwonego, gorącego i z pozoru żywego!

— Co ona tam ma? — wymamrotał zza blatu Robak.

— Wygląda jak... odłamek meteoru! — powiedziała Heca.

— Przechowuje jeden olbrzymi w swoim laboratorium.

— Wiedziałam! Posłużyła się nim przy ostatnim eksperymencie ze Skorkiem! Zamienili go w meteor!

— Ta szkoła nigdy nie przejdzie gładko inspekcji z kuratorium — obwieścił ogrodnik.

Nagle nauczycielka zamarła w bezruchu i zaczęła nasłuchiwać.

— Słyszałeś coś, Mruku? Dałabym głowę, że wychwyciłam czyjeś głosy.

Heca i Robak znów znieruchomieli jak posągi. Czyżby ich zdemaskowała?

— Posłuchaj! — zasyczała doktorka Doktur. — Czy w mojej jaskini znalazł się nieproszony gość?

— HMM! HMM! — odmruknął Mruk, co oznaczało „nie".

— A ty, Licho? Słyszałaś coś?

Kocica umoszczona na czubku głowy asystenta otworzyła swoje jedyne oko, uniosła głowę i zaczęła węszyć w powietrzu.

N I U C H! N I U C H!

Heca i Robak nie śmieli nawet oddychać.

Licho pokręciła łebkiem.

— Zatem musiało to być tylko echo — stwierdziła Doktur. — Cóż, Mruku, doświadczyliśmy wielu porażek podczas naszych eksperymentów, ale w końcu dopięliśmy swego. Skorek stał się naszym pierwszym potworem!

CZŁOWIEK METEOR! A co przygotujemy dla młodego Kloca?

Kobieta podeszła do stojącej obok szafki aptekarskiej podpisanej:

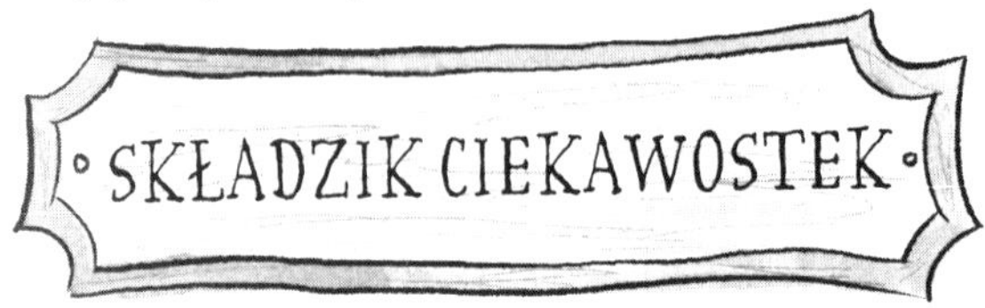

Wysoki drewniany mebel miał niemalże setkę małych szufladek. Każda z nich opatrzona została etykietką, ale ze swojej kryjówki Heca i Robak nie mogli ich odczytać.

— Gdzie podziewa się „S"? — zadała sobie pytanie nauczycielka. Jej paciorkowate oczka wodziły po szufladkach, dopóki nie znalazła tego, czego szukała. Wyjęła stamtąd słój, w którym przesuwało się coś śliskiego i śluzowatego. Było tak duże jak kciuk Mruka.

— O nie! — przestraszyła się Heca. — Ona chce zamienić Kloca w… ślimora!

Rozdział 27

MACHINA DO MONSTERYFIKACJI

Trzymając metalowe szczypce w dłoni zabezpieczonej rękawicą, doktorka Doktur sięgnęła do słoja i wyjęła z niego czarnego bezskorupowego ślimaka. Uśmiechnęła się pod nosem i umieściła go w **machinie do monsteryfikacji**.

Pospiesznie zamknęła drzwiczki, żeby powstrzymać mięczaka przed wypełznięciem na zewnątrz.

Ze swojej kryjówki za bulgoczącymi miksturami

Heca i Robak patrzyli, jak Doktur skinieniem głowy nakazuje Mrukowi pociągnąć za dźwignię. A wtedy duży okrągły kamień w podłodze uniósł się i przesunął.

SSSSTUK!

Jaskinię rozświetliła czerwonozłota poświata.

— Nie! — stęknął Robak.

— Co to? — szepnęła dziewczynka.

— Wulkan! On wcale nie śpi! Jest jak najbardziej aktywny!

Płynna lawa podchodziła wyżej i niemal kipiała z otworu na posadzkę.

— A to oznacza? — nie rozumiała Heca.

— Że do erupcji może dojść choćby zaraz!

Mruk podniósł metalową rurę przyłączoną do **machiny do monsteryfikacji** i zanurzył jej koniec w rozżarzonej lawie.

— Moc lawy znów jest do naszej dyspozycji! — oznajmiła nauczycielka. — Niechaj rozpocznie się **monsteryfikacja**!

Wcisnęła duży czerwony guzik, a **machina**

z buczeniem zbudziła się do pracy. Rozległ się furkot, pisk i głośny szum.

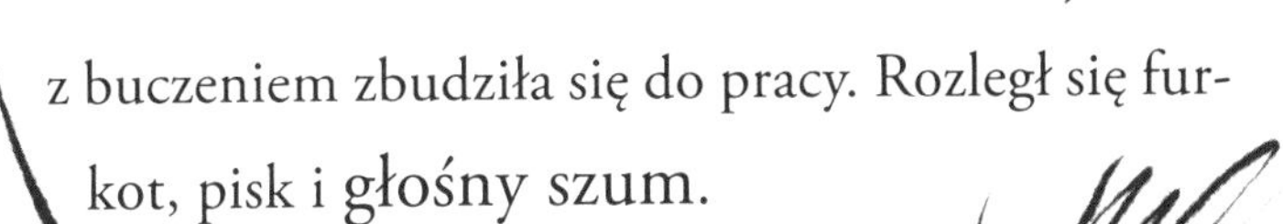

F R R R!

BIIIP! BIIIP!

Ł U U U S Z S Z S Z!

Potem ciało Kloca zapulsowało od przepływających fal energii.

— Trzeba ich powstrzymać! — krzyknęła Heca.

Machina do monsteryfikacji była tak hałaśliwa, że krzyk dziewczynki usłyszał tylko jej towarzysz.

— Już za późno! — rzekł Robak.

— NIE! JA MUSZĘ RATOWAĆ KLOCA!

Heca wyskoczyła ze swojej kryjówki, ale ogrodnik w mig ściągnął ją z powrotem.

— Pomyśl tylko, co ci zrobią, jeśli cię tu znajdą!

— Powinniśmy mu jakoś pomóc!

— Nie pozwolę ci! — Mężczyzna mocno ją przytrzymał. — To zbyt niebezpieczne!

Heca umilkła i zacisnęła powieki. Nie potrafiła przyglądać się cierpieniu przyjaciela ani sekundy dłużej. Tymczasem doktorka Doktur podkręciła potencjometr **machiny do monsteryfikacji**.

Machina huczała tak donośnie, że przez chwilę wydawało się, że cała jaskinia runie im na głowy.

Aż w końcu…

MEGABUUM!

Nastąpiła potężna eksplozja.

Wokół posypały się iskry.

PSSS!

Powiew zdmuchnął płomienie pochodni.

Kolisty kamień wrócił na swoje miejsce i zakrył lawę.

STUK!

ZAPANOWAŁY ŚWISZCZĄCA CISZA I MROK JAK W GROBOWCU.

W ciemnościach rozległ się czyjś krzyk:

— Daj świecę! — niecierpliwiła się doktorka Doktur. — Przynieś świecę, Mruku!

— HMM!

Usłyszeli odgłos kroków, a potem kolejny krzyk:

— ZAPALONĄ świecę, na litość boską!

Mroczność przeszył syk zapalanej zapałki. W blasku świecy kobieta mogła przyjrzeć się temu, co stworzyła. Przysunęła płomień bliżej chłopca.

Nazywam go „chłopcem", ale Kloc wcale nim już nie był.

Zamienił się w potwora.

W **ŚLIMOROTWORA!**

Rozdział 28

ŚLIMOROTWÓR

Był to pół chłopiec, pół ślimak. Miał twarz dziecka, a ciało wielkiego ślimaka.

— **ŚLIMOROTWÓR**! Jak dotąd moje najwspanialsze osiągnięcie! — oznajmiła wynalazczyni. — Donioślejsze niż **CZŁOWIEK METEOR!**

— HMM! — mruknął Mruk, uśmiechając się upiornie.

Stwór wił się na metalowym blacie stołu, wydając z siebie groźny gulgot.

— GULG-GULG-GULG-GULG!

Kloc zniknął. Jego miejsce zajęła kreatura żywcem wyjęta z sennych majaków.

Skryta za probówkami Heca nie mogła powstrzymać wrzasku przerażenia.

— NIEEEEEE!

— Ciszej! — przypomniał jej Robak.

Niestety za późno. Para niegodziwców odkryła ich obecność. Oczy doktorki Doktur rozbłysły z uciechy.

— Mruku! — zawołała. — W górę! Raz! Raz! Raz!

— HMM!

Bezgłosy mężczyzna wiedział, co robić. Najpierw podniósł do góry szklarnię, a potem odpiął skórzany pas, który przytrzymywał potwora, a ten — uwolniony — ześlizgnął się na podłogę.

— **ŚLIMOROTWORZE**! Odszukaj intruzów! — rozkazała nauczycielka.

ŚLIMOROTWÓR bez trudu zrozumiał polecenie i zaczął pełzać po jaskini, pozostawiając za sobą szlak srebrzystego śluzu.

Heca i Robak zamarli w bezruchu i w milczeniu wyczekiwali potwora. Chociaż wciąż kucali po drugiej stronie wielkiego kontuaru, zbliżający się stwór wyczuł ich swoimi czułkami i otworzył paszczę, żeby chapsnąć.

— AAA! — wrzasnęła dziewczynka. Z całych sił naparła na ławę, a ogrodnik natychmiast zrobił to samo. Wielki blat się przewrócił, a wraz z nim wszystkie wypełnione cieczami kolby i probówki.

SZAST!

KRACH!

TRZASK!

— GULGOTU-GULG! — ryknęło stworzenie i zaczęło się cofać.

— Kto tam jest? — zagrzmiała nauczycielka.

— Musimy przesunąć blat! — obmyśliła Heca.

Wraz z Robakiem popchnęli leżący na boku stół, czym zatarasowali drogę Mrukowi.

ŁUP!

— **HMM! HMM!** — sapnął asystent, co oznaczało „nie". Język Mruka w zasadzie nie nastręczał wielkich trudności. Dopiero trzykrotne burknięcie komplikowało sprawę. Mężczyzna potknął się o wystający mebel i upadł na podłogę.

— **HMM! HMM! HMM!** — złościł się. Można jedynie zgadywać, co dokładnie miał na myśli, ale z pewnością nie był to pomruk zadowolenia.

— Prędko! Wiejemy! — szepnęła Heca.

Chwyciła ogrodnika za rękę i razem rzucili się do krętych schodów.

TUP! TUP! TUP!

— **ŚLIMOROTWORZE**! BIERZ ICH! — rozkazała doktorka Doktur.

— GULGOTU-GULG! — zagulgotała szkarada.

— Ten ślimak gigant nie wespnie się na schody — stwierdził Robak.

— Niech się pan nie rozgląda, tylko biegnie — rzuciła ostro Heca.

Ale w miarę jak pędzili schodami na górę, spostrzegła, że wnętrze jaskini upstrzył srebrny ślad.

— Och, nie! — zawołała.

ŚLIMOROTWÓR użył swojej superssącej siły i przywarł do ściany. W mgnieniu oka ich prześcignął, a raczej prześluznął*, by zaczaić się u szczytu schodów.

---

*Tego słowa nie odnajdziecie w zwykłym słowniku, jedynie Walliamsownik zawiera to oraz miliard innych zabawnie dziwacznych słów.

— Co powiedzieli do ślimaka, który spieszył na spotkanie? Przestań się ślimaczyć!

— Nie teraz! — krzyknął Robak.

Heca zerknęła w dół. Tam z kolei czekała na nich doktorka Doktur.

— Kimkolwiek jesteście, nie uda wam się uciec! — powiedziała.

— Znaleźliśmy się w pułapce! — załamał się Robak.

— Musi istnieć inne wyjście! — odparła Heca.

U jej stóp **ŚLIMOROTWÓR** otworzył paszczę i zagulgotał.

— GULGOTU-GULG!

— To coś zaraz nas pożre! — wybełkotał ogrodnik i tchórzliwie stanął krok za dziewczynką. — A ciebie zje pierwszą.

— Mój przyjaciel musi wciąż gdzieś być tam w środku! — upierała się.

ŚLIMOROTWÓR zaczął sunąć wprost ku niej.

— Nie jesteś potworem. — Heca próbowała mówić jak najspokojniej, chociaż z przerażenia serce waliło jej tak szybko, że ledwie mogła złapać oddech.

Czułki potwora drgnęły.

— Masz na imię Kloc i jesteś moim kumplem. A jak do tego doszło? **Nie wiem!**

Ciało stworzenia znowu lekko drgnęło. Heca powolutku wyciągnęła dłoń przed siebie.

— Ostrożnie! — ostrzegał Robak z bezpiecznego schronienia za jej plecami.

Palce dziewczynki pogładziły jeden z czułków monstrualnego ślimaka. Wyraz twarzy stwora trochę złagodniał.

— Klocu, proszę cię, pozwól nam przejść — powiedziała cicho Heca.

— ZNISZCZ ICH! — warknęła doktorka Doktur, która już wspinała się po schodach. Tuż za nią dyszał i sapał Mruk. — Ja cię stworzyłam, **ŚLIMOROTWORZE**, więc mnie masz słuchać! ZNISZCZ ICH! NATYCHMIAST!

Potwór uniósł głowę. Po serdeczności nie został nawet ślad. Teraz na jego twarzy malowało się czyste zło.

— GULG-GULG! —

zagulgotał i rzucił się

na dziewczynkę.

Rozdział 29

PÓŁNOC

Robakowi w ostatnim momencie udało się chwycić Hecę za ręce i przerzucić ją nad grzbietem **ŚLIMOROTWORA**...

SZSZUUU!

...po czym sam nad nim przeskoczył.

Potwór zdążył jednak kłapnąć dziewczynkę i złapał jej but.

— AUĆ!

Potem go wypluł, a trzewik sturlał się po kamiennych stopniach.

ŁUBU-DU!

ŁUP!

— Mój but! — zmartwiła się.

— Zostaw! — odparł Robak i zatrzasnął za nimi drzwi, dzięki czemu zablokował atak **ŚLIMOROTWORA**.

TRZASK!

Nie oglądając się za siebie, dziewczynka i ogrodnik pobiegli przez podziemia. Dopiero gdy znaleźli się na zamkowym dziedzińcu, przystanęli, żeby złapać oddech.

— Nieraz widywałem wielkie bezskorupowe ślimaki, ale ten bije je na głowę! — stwierdził Robak.

— Jaka jest definicja ślimaka bez skorupy? To ślimak, co ma problemy z zakwaterowaniem! — rzuciła Heca. — Musimy powstrzymać doktorkę Doktur i Mruka, zanim przetransformują w potwory inne dzieci.

Wyspę spowijała gęsta mgła.

— Nie lada ekscytujący wieczór, prawda, Robalku? — zagaił Robak, kiedy wyjął z kieszeni swoją dżdżownicę i ucałował ją w jeden z końców.

Oby w ten właściwy. — Ale czas już wracać do szopy i trochę się przespać. Dobranoc!

— SPAĆ?! — oburzyła się Heca.

— Ciii! Obudzisz całą szkołę!

— Spać?! — wykrzyknęła trochę ciszej, ale dla ogrodnika i tak niewystarczająco cicho, bo się skrzywił i przyłożył palce tam, gdzie domyślał się, że Robalek mógł mieć uszy. — Jak pan może teraz myśleć o spaniu?

— A co, nie pora na sen? — spytał i zerknął na uwiązanego na szczycie wieży pelikana.

Ptak znowu obrywał od Wściuba kuksańce mopem. Tym razem zaskrzeczał dwanaście razy.

SKRZEK! SKRZEK! SKRZEK!
SKRZEK! SKRZEK! SKRZEK!
SKRZEK! SKRZEK! SKRZEK!
SKRZEK! SKRZEK! SKRZEK!

Heca i Robak skryli się przed dozorcą w cieniu budynku.

— Dwanaście SKRZEKNIĘĆ! Już północ! — policzył Robak.

— Teraz naprawdę czuję się jak Kopciuszek.

— Co?

— Jest północ, a ja straciłam but! Hej, dlaczego Kopciuszek tak słabo gra w futbol?

— Nie wiem, ale czuję, że zaraz mi powiesz!

— Bo gra w nieprzepisowym obuwiu.

Ogrodnik uśmiechnął się blado.

— Stać cię na więcej.

— To jedyny dowcip o Kopciuszku, jaki znam. Co będzie, jeśli Doktur i Mruk znajdą mój but?

— W tej jaskini jest bardzo ciemno.

— Ale jeśli jednak znajdą?

— Cóż…

— Jak go przyuważą, zorientują się, że tam byłam.

— Nie możemy po niego wrócić. Nie teraz.

— Słusznie — zgodziła się dziewczynka.

— Za duże ryzyko. Rano ułożymy plan działania. Ja, ty i Robalek dawno powinniśmy być w łóżkach. Dobrej nocy!

Ogrodnik odwrócił się, by odejść, ale Heca ani myślała mu na to pozwolić.

— STOP! — powiedziała stanowczo. Miała tylko dwanaście lat, ale kiedy chciała, potrafiła być bardzo przekonująca i nieustępliwa. Mężczyzna natychmiast przystanął.

— Jedno pytanko. Umieram z ciekawości, kto zarządza **AKADEMIĄ BEZLITOSNĄ**?

— Dyrektorka szkoły. Zawsze tak było, jest i będzie. Kiedy trafiłem do akademii jako smarkacz, ona już tu rezydowała.

— No to chodźmy do niej!

— Do pani profesor? — spytał. Ton jego głosu sugerował, że to nieskończenie absurdalna propozycja.

— Tak!

— Ale jej od lat nikt nie widział.

— Dlaczego? — zdziwiła się Heca.

— Właściwie nie wiadomo. Odkąd pamiętam pani profesor ma na drzwiach wywieszony napis **NIE PRZESZKADZAĆ** i nikt nigdy nie ośmielił się naruszyć tego zakazu.

— Niech mi pan wskaże właściwy gabinet, to pójdę trochę poprzeszkadzać i opowiem, co się tu wyrabia!

— Przecież jest po północy! Chcesz, żeby posadzili cię **PO LEKCJACH**?

Na tę myśl dreszcz przebiegł jej po plecach.

— Nie.

— Spróbujemy z samego rana.

— Obiecuje pan?

— Obiecuję. Tylko że drzwi dyrektorki zawsze są zamknięte, więc nie dostaniemy się do niej, jeśli sama nam nie otworzy.

— A kto ma klucz?

— Pewnie pilnuje go Wściub. Taki duży, stary i mosiężny.

— **Wyśmienicie!**

— Co masz na myśli?

— Nic!

— Tylko nie pakuj się w żadne tarapaty!

— Ależ skąd! — zaszczebiotała.

Zafrasowany Robak mógł tylko

pokręcić głową.

Rozdział 30

ZNIKAJĄCA SZOPA

SKRZEK!

Pelikan oznajmił początek kolejnego ponurego dnia w **AKADEMII BEZLITOSNEJ**. Heca leżała na łóżku, nasłuchując kroków dozorcy i **BRZĘK-BRZDĄK-BRZĘCZENIA** jego kluczy. Gdy usłyszała, że mężczyzna zbliża się korytarzem, natychmiast zerwała się na równe nogi.

Wściub, z naręczem kluczy wiszącym mu u pasa, otworzył drzwi i stanął w progu jej pokoju.

BRZDĘK!

Heca skorzystała z okazji. Rzuciła się na strażnika i mocno go objęła. Oczy miała dokładnie na wysokości pęku kluczy.

— CO TY WYRABIASZ? — najeżył się Wściub.

— Chciałam panu podziękować za to, że jest pan najlepszym dozorcą na świecie! — zawołała Heca.

— ODCZEP SIĘ ODE MNIE! CO Z TOBĄ?! PUSZCZAJ!

— Nic! Pomyślałam tylko, że należy się panu przytulas i że ktoś nareszcie musi powiedzieć głośno, jak świetną robi pan robotę. Wszyscy czujemy się tu mile widziani. Zupełnie jak w domu!

— NIC PODOBNEGO!

Heca niespodzianie cofnęła się o krok.

— Do widzenia! — powiedziała.

— Jak to „do widzenia"?

— Może pan już iść. Do widzenia!

— Jesteś szurnięta!

— A pan przemiły!

Jedna z dłoni dziewczynki była mocno zaciśnięta.

Wychodząc z pokoju, uśmiechnęła się do siebie **ukradkiem**.

Zamiast podążyć za stadem dzieciaków do

stołówki, Heca wymknęła się na poszukiwanie ogrodnika. Jednak kiedy dotarła na miejsce, okazało się, że w nocy zdarzyło się coś piekielnie dziwnego.

Szopa Robaka zniknęła!

Miejsce na skraju klifu kłuło w oczy pustką. Dziewczynka widziała na ziemi wyraźny ślad po drewnianej komórce.

— Szopy nie znikają tak po prostu! — skomentowała pod nosem.

Wyjrzała poza skraj klifu. Ku swojemu przerażeniu dostrzegła rozsypane na skałach odłamki desek. Na dół było bardzo daleko, odległość musiała mierzyć co najmniej tyle co dwa boiska futbolowe. Pod wpływem uderzenia chatka zapewne rozprysła się jak przy wybuchu. To, co z niej zostało, porywały bezlitosne fale.

ŁUSZSZSZ!

Nikt nie zdołałby przeżyć upadku z tej wysokości.

Wschodzące słońce zamigotało we łzach, które zakręciły się w oczach dziewczynki.

— Och, nie. Znowu cios. Więcej nie zniosę. Tylko nie on, biedny, kochany Robak!

— Słucham? — odezwał się ktoś za nią. — Mogę w czymś pomóc?

— AAA! — Dziewczynka odskoczyła z krzykiem.

To był ogrodnik, ale Heca z przerażenia cofnęła się tak daleko, że straciła równowagę. Zamachała rozpaczliwie rękami, jak świeżo wykluty pisklak, który próbuje pofrunąć po raz pierwszy w życiu.

— RATUNKU! — wrzasnęła, czując, że zaczyna spadać.

Na szczęście Robak wyciągnął brudną dłoń

w samą porę, by chwycić dziewczynkę za kołnierz.

— MAM CIĘ! — zawołał.

Powoli wciągnął ją na bezpieczny grunt.

Kiedy odsunęli się od krawędzi, Heca powiedziała:

— Myślałam, że pan nie żyje!

— A ja myślałem, że ty nie żyjesz!

— Oboje żyjemy!

— Na razie.

— Co się stało z pańską szopą?

— Robalek często potrzebuje w nocy wyjść za potrzebą — zaczął wyjaśniać ogrodnik. — Czasami budzi mnie nawet trzy czy cztery razy. Tak się złożyło, że akurat wyszliśmy na dwór, żeby Robalek skoczył pod krzaczek, no wiesz, dla odrobiny prywatności. Ja tam nie dam rady się załatwić, gdy ktoś patrzy!

Dziewczynka przewróciła oczami. Ogrodnik był nieźle zakręcony.

— Wtedy usłyszałem, jak szopa wraz z całym moim cennym dobytkiem roztrzaskuje się o skały.

— O nie. Biedaku! A co straciłeś?

— Kubek do herbaty.

— I to wszystko?

Robak pomyślał przez chwilę.

— Tak — stwierdził.

— Aha. Czyli pański kubek też skończył w kawałkach.

— Był już nieco rozkawałkowany. Ucho mu się odłamało. Ale teraz nie ma nadziei… — wymamrotał, zerkając w dół.

— Nieszczęsny kubek. Widział pan, czy ktoś się tu w nocy kręcił?

— Wczoraj była strasznie gęsta mgła, pamiętasz? Nikogo nie przyuważyłem.

— Jak inaczej szopa wylądowałaby na samym dole?

— Przez wyjątkowo silny powiew wiatru?

— Albo coś bardziej nikczemnego! — powiedziała Heca. — Idziemy, szkoda czasu, najlepiej prosto do dyrektorki i WSZYSTKO jej opowiemy!

— A co z twoim trzewikiem?

— Pantofelek może poczekać! — uznała i pokuśtykała naprzód w jednym bucie.

Rozdział 31

NIE PRZESZKADZAĆ!

Gabinet pani dyrektor znajdował się w jednej z wysokich zamkowych wież. Robak i Heca podkradli się po schodach na górę, zgrabnie przeskakując nad drzemiącymi na kamiennych stopniach szczurami. Jak wspominał ogrodnik, tabliczka na drzwiach głosiła:

PROFESORKA DOKTUR
POD ŻADNYM POZOREM NIGDY,
PRZENIGDY NIE PRZESZKADZAĆ!

Wisiała tam od tak dawna, że zrobiła się włochata od nagromadzonego na niej kurzu.

— O, czytelny znak, żeby nie przeszkadzać — uprzedzał Robak.

— Wiem! — warknęła Heca. — Ale ta tabliczka

jest tutaj przytwierdzona od wieków. Najwyższy czas, żeby ktoś dyrektorce nareszcie przeszkodził! Dlaczego ona też nazywa się Doktur?

— Profesorka Doktur jest matką doktorki Doktur.

— I załatwiła córce pracę w szkole!

— Zapewne.

— A dlaczego nie nazywa się profesorka Profesor?

— To byłoby bez sensu.

— Znam mnóstwo dowcipów o doktorach, ale o profesorze Profesorze ani jednego.

— Starsza Doktur zapracowała na naukowy tytuł profesorki, ale młodsza Doktur uzyskała tylko tytuł doktora.

— I skończyła jako doktorka Doktur!

— No dalej, zapukaj, skoro tak ci na tym zależy — powiedział Robak. — A ja poczekam za rogiem, w razie gdyby dyrektorka bardzo, ale to bardzo nie chciała, żeby ktokolwiek jej przeszkadzał.

— Przypominam, że pan tu pracuje, więc też może pan zapukać! — napomknęła dziewczynka.

— Nie mam zamiaru!

— Ktoś musi!

— Tak! Ty!

Heca westchnęła poirytowana.

— Hmm. A może zapukamy razem?

— Dobry pomysł! — ucieszył się ogrodnik. — Ty pierwsza!

— Nie! Razem. Jeden! Dwa! Trzy! PUKAMY!

PUK! PUK!

Pół sekundy później Robak zawyrokował:

— Pani Doktur nie ma! Chodźmy!

— Powinniśmy wejść i jej poszukać.

— Nie. Zdecydowanie nie powinniśmy. A co więcej, nie możemy, bo nie mamy klucza!

Heca uśmiechnęła się i otworzyła dłoń.

— Oczywiście, że mamy!

W spoconej dłoni dziewczynki leżał duży mosiężny klucz.

— Skąd go wzięłaś? — spytał ogrodnik.

— Ja… eee, pożyczyłam od Wściuba.

— Pożyczyłaś?

— Tak. Nigdy bym niczego nie ukradła. Zwrócę przy najbliższej okazji.

Nie marnując więcej czasu na dyskusje, otworzyła drewniane drzwi.

S Z C Z Ę K!

SKRZYP!

Za nimi zobaczyli gabinet, który na pierwszy rzut oka wyglądał jak pokryty śnieżną pierzynką. Tyle że to nie był śnieg, a grube warstwy kurzu i pajęczyn.

— Ultraupiornie! — bąknęła Heca.

W tym samym momencie tuż obok jej twarzy przeleciał nietoperz.

— PIIISK!

— ACH! — przestraszyła się, a zwierz, trzepocząc skrzydłami, wymknął się na korytarz.

— Zmiatajmy stąd! — syknął Robak.

— Przecież dopiero co weszliśmy! — odparła dziewczynka i zaczęła ostrożnie rozglądać się po

gabinecie. Leżały tam stosy papierów, stary portret uśmiechniętej pani profesorki z małą (i niezadowoloną) doktorką Doktur oraz model Układu Słonecznego, który Hecy wydał się szczególnie fajny.

DRAP! DRAP!

— CICHO! — szepnęła.

— Co? — odszepnął Robak.

— Coś usłyszałam!

— To pewnie szczur!

Wtem, nie wiadomo skąd, dało się słyszeć tajemniczy głos:

— To nie szczur! To ja.

Profesorka Doktur!

Rozdział 32

DAMA Z SZUFLADY

Heca i Robak zadrżeli ze strachu. Czyżby dyrektorka była zjawą?

— Gdzie pani jest? — zawołała dziewczynka.

Nie mogli jej wypatrzyć w żadnym kącie.

— Jestem tutaj! — odpowiedział głos.

— Gdzie? — dopytywała Heca. — Nigdzie pani nie widać!

— Tutaj!

Tym razem odpowiedzi towarzyszyło stukanie.

STUK! STUK! STUK!

— Jestem w szafce!

Nie w każdej szkole znajduje się pedagoga w szafce. Ale przyznajmy szczerze, **AKADEMIA BEZLITOSNA** nie należała do zwykłych placówek edukacyjnych.

Po jednej stronie gabinetu stała wysoka drewniana witryna. Każdą z jej szuflad oznaczono inną literą alfabetu. Heca i Robak zaczęli otwierać jedną po drugiej. Większość wypchana była papierami — sprawdzianami, świadectwami, planami lekcji — powciskanymi tam w sposób najwyraźniej przypadkowy.

Starsza pani tkwiła w jednej z nich! Sztuczka polegała na tym, by ją odnaleźć.

Przez cały czas, kiedy prowadzili poszukiwania, dyrektorka dawała im wskazówki.

— Oczko w górę! Trochę w dół! Po lewej! Bardziej w lewo! W prawo! Zimno! Zimno! Chłodno! Cieplej! Bardzo ciepło! WRZĄCO!

W końcu Heca trafiła na właściwą szufladę. Gdy ją wyciągnęła, zobaczyła pomarszczoną siwą staruszkę, która zamrugała na widok światła.

— Rewelacyjnie was widzieć! — zaćwierkała dyrektorka, kiedy wystawiła maleńką główkę spomiędzy plików dokumentów. Wyglądało to tak, jakby stare świadectwa i dzienniczki ucznia służyły jej za posłanie. — Jesteś tu nowa?

— Tak, świeżuteńka! — potwierdziła Heca. — Jeśli wolno spytać, co pani robi w tej szufladzie?

— Nie wiem. Pamiętam, że przysnęłam. A czas nieubłaganie płynie! Który mamy rok?

— Nie widziano pani od dekady! — wykrztusił Robak.

— O! Witaj, Robaku! Nie zauważyłam cię. Jeju, musiała to być strasznie długa drzemka!

Dziewczynka i ogrodnik spojrzeli na siebie z niedowierzaniem.

— Pomożecie staruszce się stąd wykaraskać?

— Ależ oczywiście! — odpowiedziała Heca.

Ostrożnie podniosła niebywale leciwą kobiecinę i wyjęła ją delikatnie z szuflady, jakby trzymała w rękach cenny antyk. W zasadzie tak właśnie było. Starsza pani równie dobrze mogła być zabytkowym zegarem wahadłowym, bo kiedy ją wyciągali, Heca usłyszała znajome **tykanie**.

TIK-TAK! TIK-TAK! TIK-TAK!

— W czym mogę wam pomóc w ten piękny dzionek? — zadała pytanie dyrektorka.

— Cóż, eee… trudno zdecydować, od czego by tu zacząć… — zająknęła się Heca i zerknęła na Robaka, licząc na wsparcie.

Ogrodnik nabrał wody w usta.

— Zacznij od początku! Ale pysznie! Wprost uwielbiam słuchać opowieści!

— No to może rozpocznę od chłopca, który eksplodował...

Heca wyliczyła po kolei dramatyczne wydarzenia. Jak Skorek przebił się przez sufit biblioteki. Zejście do ukrytej pod szkołą jaskini. Opowiedziała o **machinie do monsteryfikacji**. O **ŚLIMOROTWORZE**. O tym, że ktoś zrzucił z klifu szopę Robaka. A chociaż brzmiały nieprawdopodobnie, były najprawdziwszą prawdą.

— Dlatego zapukaliśmy do pani gabinetu, pani profesorko — zakończyła. — Za wszelką cenę musimy ratować biednych uczniów, zanim będzie za późno!

— Masz rację! Trzeba działać! Niezwłocznie! — wykrzyknęła dyrektorka.

Ale kiedy spróbowała wstać, odpadła jej noga.

STUK!

— Nie wiedziałem, że ma pani protezę! — osłupiał ogrodnik.

— Ja też nie — odparła staruszka.

Heca i Robak wymienili spojrzenia pełne niepokoju.

— Czy pomóc pani ją założyć? — zaoferowała Heca.

— Nie, nie. Nie kłopocz się. Wrzućcie ją tylko do szuflady, żebym się nie potknęła!

Robak wzruszył ramionami i zrobił, jak prosiła. Podniósł metalową nogę i schował do szafki.

— Włożyłem ją pod „N", jak „noga"! — poinformował uprzejmie.

— Dziękuję, Robaku — powiedziała. Następnie zwróciła się do Hecy: — Moja droga, wydarzenia, o których mi opowiedziałaś, a szczególnie poczynania mojej córki, doktorki Doktur, są absolutnie szokujące!

— Jak powinniśmy teraz postąpić? — oczekiwała rady dziewczynka.

— Na początek rozsypać wszędzie środek odstraszający ślimaki, ot co!

— To naprawdę duży ślimak! — podkreślił ogrodnik.

— Zatem potrzebna nam naprawdę **duża** puszka środka odstraszającego!

— Nie wolno nam tego zrobić! Jest moim przyjacielem! A co z pani córką? — spytała Heca. — Przykro mi to mówić, ale podejrzewam, że ona za tym stoi.

— Już ja powiem mojej pannicy coś do słuchu! Aż jej w pięty pójdzie! A teraz zmykajcie i, proszę, słowem się nie zająknijcie!

— Ja się przecież nie jąkam — stwierdził ze zdziwieniem Robak.

— Miałam na myśli, żebyście nikomu o niczym nie mówili. I zamknijcie za sobą drzwi!

Serwus!

Serwus!

Serwus!

Serwus!

Serwus!

Rozdział 33

CYRK PEŁEN NAJDZIWNIEJSZYCH SMRODÓW

Po wyjściu z gabinetu dyrektorki Heca i Robak mieli mętlik w głowach.

Dlaczego spała w szufladzie?

Dlaczego nie wiedziała, że ma sztuczną kończynę?

I dlaczego w kółko powtarzała: „**Serwus**"?

— Myślisz, że naprawdę skrzyczy swoją córkę? — wątpiła Heca, kiedy szli labiryntem kamiennych schodów i korytarzy.

— Pani profesorka zawsze była miła — rozważał Robak. — Nie sądzę, by maczała w tym palce. Pragnęła, żeby szkoła pomagała dzieciakom, takim jak ja, poprawić się i wrócić do domu.

— Co poszło nie tak?

— Wszystko, gdy tylko zjawiła się jej córka.

— SKRZEK! — odezwał się pelikan.

— Powinnaś lecieć na swoją pierwszą lekcję, inaczej zaczną się pytania...

— W jednym bucie? A jeśli wpadnę na doktorkę Doktur albo Mruka?

— Zorganizujemy misję ratunkową dla trzewika, ale dopiero po zmroku. Tymczasem możesz pożyczyć jeden z moich — zaproponował Robak.

— Bardzo miło z pana strony! Ale chyba średnio do siebie pasują? — Dziewczynka spojrzała na swój mały brązowy but i jego wielkie kalosze. — Ludzie mogliby uznać to za jeszcze bardziej podejrzane. Tak czy siak, mój głupi but jest niczym w porównaniu z tym, co spotkało biednego Kloca. Przede wszystkim jego musimy uratować!

— Niemożliwe. Zamienili go w gigantycznego ślimora!

— Nie ma rzeczy niemożliwych! — przypomniała mu Heca. — Spotkajmy się znowu dziś o północy.

— Jeśli musimy — mruknął mężczyzna.

— Musimy! Do zobaczenia.

Dziewczynka pohopsała dalej klatką schodową. Kiedy znalazła się na samym dole, poczuła, że na coś dziwnego nadepnęła. Zerknęła pod nogi i zorientowała się, że stoi na splecionej ze sznurów sieci. Ktoś w okamgnieniu poderwał pułapkę do góry.

— AAA! —

wrzasnęła.

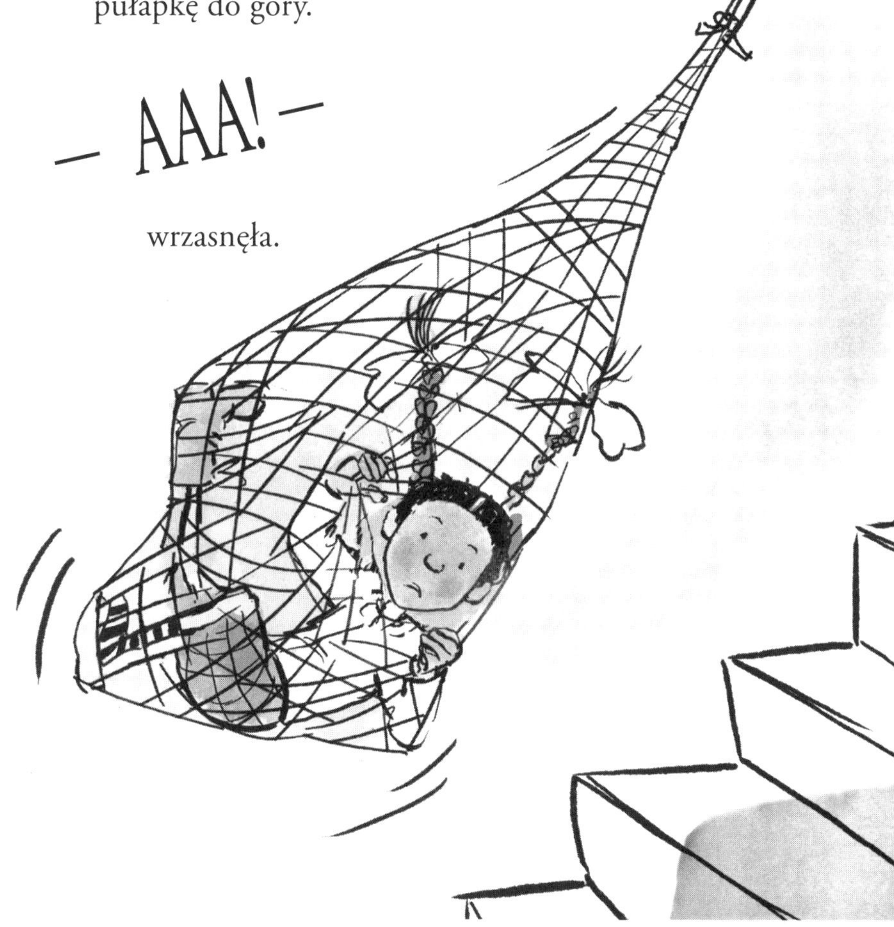

Koniec liny trzymał w rękach Wściub.

BRZDĘK! BRZDĄK! BRZĘK! — zadzwoniły jego klucze.

— Czym sobie na to zasłużyłam? — jęknęła błagalnie Heca.

— Myślisz, że wolno ci bezkarnie wykradać któryś z moich kluczy?

— Nie wiem, o czym pan mówi!

— Kłamiesz!

— Nie mogłabym mówić nieprawdy, nie kłamiąc — powiedziała Heca.

Na moment zbiła tym dozorcę z tropu.

— Gdzie mój klucz od gabinetu pani dyrektor?

— Nie mam pojęcia — odpowiedziała. — Sprawdzał pan w **Biurze Rzeczy Znalezionych**?

Wściub przerzucił sobie sieć ze złapaną dziewczynką przez ramię.

— Dokąd mnie pan niesie? — dopytywała. — Nie chcę się spóźnić na paplański!

— Poszukamy sobie razem klucza w **Biurze**

Rzeczy Znalezionych. Może znajdziemy jeszcze coś, co się zgubiło, hm?

— Nic mi nie przychodzi do głowy!

— A ja myślę, że przychodzi.

Heca ze strachu przełknęła głośno ślinę.

Wkrótce znaleźli się przed **Biurem Rzeczy Znalezionych**. Wściub otworzył drzwi i z Hecą na plecach wszedł do ciemnego pomieszczenia. Śmierdziało na wskroś. Cała szkoła była pełna najdziwniejszych smrodów, ale ten zestaw przebijał wszystko:

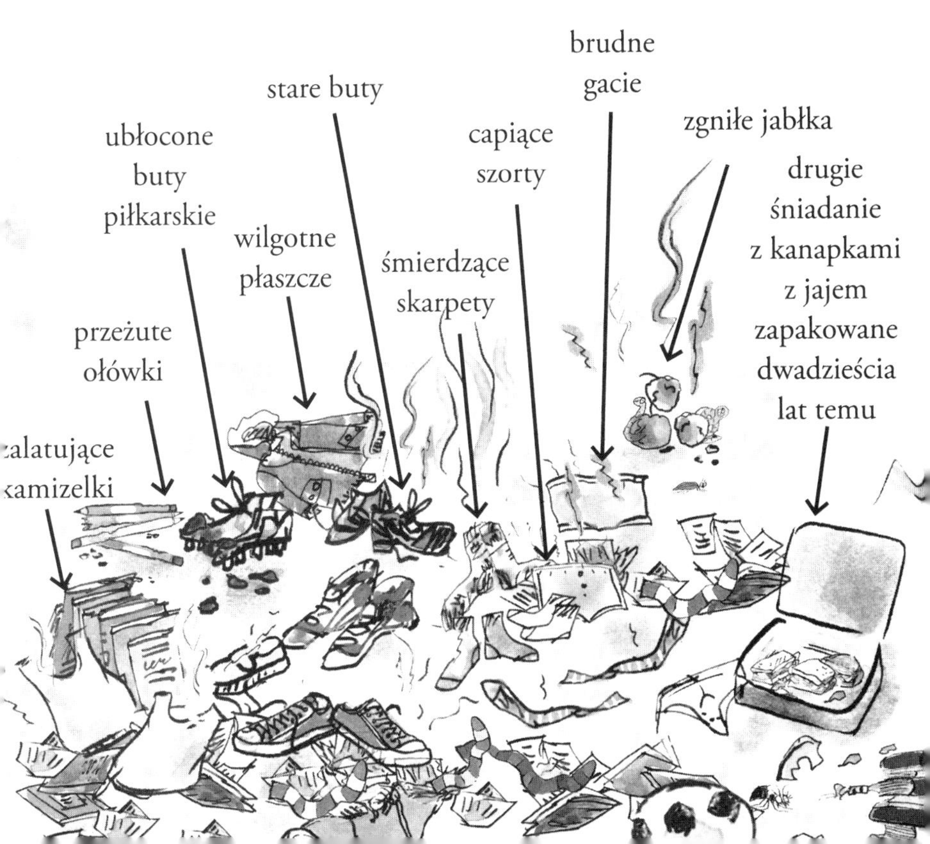

— No i proszę, nigdzie nie widać klucza od gabinetu... — odezwał się dozorca.

— Co za pech! W takim razie wracajmy.

— Nie chcesz poszukać brakującego buta? — drażnił się Wściub.

Po tonie jego głosu Heca poznała, że mężczyzna od początku coś wiedział.

— Jakiego buta?

— Tego, który powinien być na twojej stopie.

— Ojej, rzeczywiście się zgubił! — udawała zaskoczenie dziewczynka. — Nie trzeba, poradzę sobie w jednym. Właściwie to nawet tak wolę. Moja skarpetka ma wakacje.

Wściub zarechotał pod nosem.

— Dlaczego się pan śmieje?

— Bo chyba twój pantofelek się odnalazł...

Z mrocznego kąta **Biura Rzeczy Znalezionych** doszedł ich dźwięk: „HMM!".

Heca rozpoznałaby ten odgłos wszędzie.

To Mruk!

A w ręku trzymał

jej drugi but!

Rozdział 34

ZESPÓŁ TYCICH STÓP

Mruk przytargał uwięzioną w sieci Hecę do pracowni fizyczno-chemicznej.

Tam czekała na nią doktorka Doktur, perfekcyjnie ustawiona na tle okna witrażowego ze swoją podobizną.

— Proszę, proszę... — odezwała się nauczycielka. — Wygląda na to, że ktoś wychodził w nocy z łóżka! Tsk! Tsk! Tsk!

— Nie ja! — łgała Heca.

— Zaraz sprawdzimy. Jeśli bucik pasuje...

— Mam syndrom wielkich stóp! — zmyślała. — Ten but w życiu nie będzie na mnie pasował!

— Mruk! Połóż ją na blacie!

Asystent rzucił sieć z dziewczynką na kontuar.

ŁUP!

— Au! Mój zadek! — stęknęła Heca.

— PRYCH! PRYCH! PRYCH! — parsknęła kocica, usadowiona na czubku głowy Mruka.

— Zespół tycich stóp też! Nawet jeśli uda się założyć, to…

Zanim dziewczynka zdążyła powiedzieć coś więcej, Doktur gładko wsunęła but na jej stopę!

— Kopciuszek! — zagruchała wykładowczyni. — Pasuje jak ulał! Gratulacje! Pójdziesz na bal! A raczej **SIEDZIEĆ PO LEKCJACH!**

— Nie, nie! — błagała Heca. — Tylko nie to! Wszystko, tylko nie **ZOSTAWANIE PO LEKCJACH!**

— Mruku, bądź łaskaw. **Okulary ze spiralami!**

— HMM! — rzekł Mruk. Sięgnął do kieszeni laboratoryjnego fartucha i wyjął okulary. Przekręcił umieszczoną z boku gałkę, a **spirale** zaczęły poruszać się **spiralnie**, **wirować** i **kołować**.

KRĘCU-KRĘC!

Heca została zahipnotyzowana. Nie mogła przestać przyglądać się temu, jak spirale kręcą się i kręcą, i kręcą.

KRĘCU-KRĘCU-KRĘC!

Z przerażeniem poczuła, że staje się…

zzombifik-◎-wana!

CZĘŚĆ TRZECIA
ARMIA POTWORÓW

Rozdział 35

BABOL

Heca ocknęła się w sekretnej jaskini, przykuta do krzesła na kółkach. Okropnie bolała ją głowa i czuła się tak, jakby od wielu godzin spała głębokim snem. Przez ten czas mogła zapaść noc, pod ziemią nie sposób rozróżnić pory dnia. Na pewno zrobiło się chłodniej.

Dziewczynkę opanowało przedziwne uczucie. Chociaż bardzo chciała, nie mogła się ruszyć ani zawołać. Zupełnie jakby znalazła się pod wodą. Została kompletnie **zzombifik-@-wana!**

Kiedy podniosła wzrok, zobaczyła, że na stojące w półkolu zbiorniki ze szkła zarzucono stare aksamitne zasłony. Dochodziły stamtąd przerażające odgłosy. Bez wątpienia ukryto tam WIĘCEJ POTWORÓW!

W oddali widać było przypiętą do metalowego stołu kolejną nieszczęsną ofiarę.

ROBAK!

Ogrodnik leżał nieruchomo.

Podła doktorka Doktur i Mruk jego też **zzombifik-@-wali!**

Nauczycielka przeglądała zawartość swojego składziku ciekawostek.

— Mmm. Myślę, że dla wścibskiego badylarza potrzebujemy czegoś wyjątkowego. Mruku, może coś zasugerujesz?

— HMM! — odparł jej asystent, po czym zaczął grzebać palcem w nosie, dopóki nie wygrzebał największej, najbardziej zielonej i oślizgłej baby, jaką kiedykolwiek widzieliście.

PYK!

Jedyne oko kocicy rozbłysło z uciechy.

— MIAU!

— Skrajna obrzydliwość! — oceniła doktorka Doktur. — Podoba mi się! Tego potwora nazwiemy **BABOLEM!**

Mruk przekazał gluta swojej szefowej niczym cenny diament. Doktur chwyciła smark przez czarne rękawice gumowe i z wielką ostrożnością umieściła go w machinie do monsteryfikacji.

Heca musiała natychmiast coś zrobić, inaczej jej przyjaciel, Robak, zostanie...

Nie wiem, jak Wam, drodzy Czytelnicy, ale mnie perspektywa morfowania w olbrzymią babę z nosa nie przypadłaby do gustu.

Przede wszystkim człowiek stałby się zielony.

Nie dość, że zielony, to wiecznie lepki!

A jeszcze gorszy od lepkości byłby roztaczany smrodek!

Od zieloności, lepkości i śmierdzenia gorsze może być tylko jedno — nazywanie BABOLEM!

Na widok Robaka w tak wielkim niebezpieczeństwie Heca poczuła przypływ energii. Przezwyciężyła stan, w jaki wpędziły ją okulary Mruka, zebrała wszystkie siły i krzyknęła:

Doktur, Mruk i Licho rozejrzeli się, zaskoczeni, że ktoś śmie im przeszkadzać.

— Ooo! Śpiąca królewna wreszcie się obudziła! — skomentowała przymilnym głosem nauczycielka.

— PROSZĘ! PRZESTAŃCIE! — zawołała Heca.

— Cierpliwości, drogie dziecko! Wkrótce nadejdzie twoja kolej.

— Nie wolno wam tego robić!

— A niby dlaczego?

— Opowiedziałam o wszystkim dyrektorce! Matka już wie, co pani kombinuje!

Trójka czarnych charakterów zaśmiała się złowieszczo.

— HA! HA!

— HM! HM! HM!

— PRYCH! PRYCH! PRYCH!

— Mruku, przyprowadź, proszę, moją mamusię — rozkazała doktorka Doktur.

— HMM!

Mruk przytaknął i poszedł w kąt jaskini.

Otworzył drzwi stojącej tam garderoby, w której — o zgrozo! — siedziała profesorka.

Ręce, nogi i głowa dyrektorki prawdopodobnie wcześniej poodpadały, bo wetknięto je z powrotem w niewłaściwe otwory. Kobieta musiała być robotem! Jej głowa znalazła się w miejscu, gdzie powinny być nogi, a ręka tam, gdzie zwykle bywa głowa.

— SERWUS! SERWUS! SERWUS! — powtarzała w kółko.

Zirytowana Licho pacnęła maszynę swoją jedyną łapą.

PAC!

Profesorka Doktur rozsypała się na metalowe kawałki.

SZCZĘK!

CHRZĘST!

SZCZĘK!

Rozdział 36

ZEGAROBOTY

Co zrobiliście pani profesorce? — domagała się odpowiedzi Heca.

— Chociaż moja matka zawsze okazywała mi miłość, ja jej nie znosiłam. — wyznała doktorka Doktur.

— Dlaczego?

— Nigdy nie czułam się wystarczająco dobra. Ona wzbijała się na wyżyny możliwości jako profesor, a ja nie potrafiłam tego osiągnąć! Musiałam na zawsze pozostać ze skromnym tytułem doktora. Wyobrażasz sobie, jakim ciężarem jest przez całe życie zwać się doktorką Doktur?

Na to pytanie Heca natychmiast się ożywiła. Właśnie spełniło się marzenie każdego żartownisia.

— Doktorko, doktorko! Ciągle mi się zdaje, że jestem psem! **Proszę usiąść.** Nie mogę, nie wolno mi wskakiwać na meble! • Doktorko,

doktorko! Mój syn połknął długopis. Co mam robić? **Póki nie przyjadę, proszę pisać ołówkiem.** • Doktorko, doktorko! Czuję się jak dzwon! **Proszę połknąć te pastylki, a jeśli nie pomogą, proszę do mnie dzwonić.**

— DOSYĆ! — ucięła kobieta.

— Mogłabym opowiadać podobne dowcipy cały dzień!

— Mruku, włóż **specjalne okulary!**

Asystent sięgnął do kieszeni fartucha.

— Nie! Nie! — zaprotestowała dziewczynka. — Koniec dowcipów! Przynajmniej na razie. Czy może mi pani wyjaśnić, dlaczego pani mama jest robotem?

— Właśnie do tego zmierzałam. W młodości wyrzucono mnie z uczelni za moje niezwykłe eksperymenty na żywych stworzeniach przeprowadzane pod osłoną nocy. Matka dała mi ostatnią szansę, żebym mogła zrobić karierę, i zatrudniła mnie jako nauczycielkę nauk ścisłych w **AKADEMII BEZLITOSNEJ**. Ale kiedy dowiedziała się, że prowadziłam serię doświadczeń na naszych uczniach, była przerażona. Kazała mi natychmiast opuścić wyspę, dlatego nie miałam wyboru.

— I co pani wymyśliła? — spytała wystraszona Heca.

— Założyłam hipnotyzujące okulary i wprowadziłam matkę w trans. Potem razem z Mrukiem wynieśliśmy ją z łóżka na dach zamku.

— Nie mówcie tylko, że… — Dziewczynce aż zaparło dech w piersiach.

— Umieściliśmy ją w lufie armaty, Mruk podpalił lont i BUUM! Działo wystrzeliło mamusię w siną dal.

— O nie. Gdzie wylądowała?

— Z tego, co wiem, weszła na orbitę. Zawsze fascynowała się przestrzenią kosmiczną, więc lubię myśleć, że spełniło się jej marzenie, by podziwiać kosmos z bliska!

Zadowolony z ich dokonań Mruk uśmiechnął się szeroko, błyskając przy tym metalowym uzębieniem.

— To potworne! — wykrzyknęła Heca.

— Raczej potwornie przyjemne! Ale pojawił się pewien problem.

— Poczucie winy? — zgadywała dziewczynka.

Doktorka Doktur sprawiała wrażenie, jakby nie rozumiała pytania.

— Nie, nie. Nie miałam wyrzutów sumienia. Ani trochę.

— Niebywale pocieszające!

— Problem polegał na tym, że musiałam jakoś wytłumaczyć jej nieobecność. W końcu moja matka jest oficjalnie dyrektorką **AKADEMII BEZLITOSNEJ**. Wykorzystałam więc całą wiedzę, jaką zdobyłam w dzieciństwie, o konstruowaniu mechanicznych zabawek...

— Takich jak te zwierzęta w pani laboratorium!

— Właśnie. Zastąpiłam panią profesorkę nakręcanym robotem. Nazwałam go **zegarobot**!

— **Zegarobot?**

— Genialne, prawda? Metalowy szkielet pokryty skórą z wosku. Ruchoma figura woskowa wystrojona w jej ubrania! Z początku pozostali pracownicy i uczniowie dali się nabrać, ale imitacja zaczęła się rozpadać. Dlatego schowałam **zegarobota** do szuflady. Wkrótce dopracowałam moje **roboty** technologicznie, a wtedy dopadła mnie pazerność władzy.

— Pazerność władzy?

— Wciąż zadawano mi niewygodne pytania, więc każdego, kto wszedł mi w paradę, spotykał ten sam los. **KABUUUM!** Wystrzał na orbitę.

— Czyli wszyscy pracownicy **AKADEMII BEZLITOSNEJ** to roboty!

— **ZEGAROBOTY!** Nareszcie ktoś się domyślił!

— Dlatego ciągle słyszałam **tykanie!** — zrozumiała dziewczynka. — I dlatego Cyferka ma metalową dłoń i stopę!

— Wykonanie palców powierzyłam Mrukowi. Pomylił się w rachunkach.

— **HMM!** — przyznał Mruk.

— Ale po co zamieniać wszystkich w **zegaro-boty**?

— Niezawodnie wykonują moje polecenia. Dzięki nim mam pełną kontrolę nad **AKADEMIĄ BEZLITOSNĄ!**

— Dlaczego tak pani na tym zależy?

— Marzeniem mojej matki było, żeby dzieci odbierały w naszej placówce należytą lekcję, ale potem wracały do swoich szkół i rodzin. Milusio, że aż zęby bolą! Kiedy dwadzieścia lat temu zaczęłam uczyć tu fizyki i chemii, zdałam sobie sprawę, że ta samotna, wulkaniczna wyspa jest idealnym miejscem dla moich mrocznych i niebezpiecznych prac badawczych. Z dala od wścibskich spojrzeń. To tutaj wynalazłam moje arcydzieło! **Machinę do monsteryfikacji!** Mruku, zasłony!

Asystent zajął miejsce przy pierwszym ze zbiorników, gotowy zaprezentować jego zawartość. Z dumą wyszczerzył w uśmiechu metalowe zęby.

— Cieszyłam się na ten moment i oto nadszedł! — oznajmiła nauczycielka. —

Szykuj się na

mrożące krew w żyłach

doznanie!

Rozdział 37

POTWORY, POTWORY I WIĘCEJ POTWORÓW

Oto owoc mojego geniuszu! — powiedziała Doktur. — Potulny Kloc, jak sama odkryłaś podczas swoich nocnych przygód, został zmieniony w...

Mruk ściągnął pierwszą zasłonę.

— **ŚLIMOROTWORA!**

Kleisty spód gigantycznej nogi ślimaka przylgnął do szklanego boku gabloty, a ślimaczy śluz rozmazał się po całym wnętrzu.

— A obok Skorek, którego lot w przestworza widziałaś na własne oczy. Bo czegóż innego można spodziewać się po...

Mruk zerwał kolejne przykrycie.

— **CZŁOWIEKU METEORZE!**

Potwór w środku pojemnika żarzył się na czerwonozłoto, a buchające od niego płomienie osmalały szkło.

— Stworzyliśmy także kilka nowych potworów. Oprócz ciebie **ZA KARĘ PO LEKCJACH** zostać musiała także Świrka, którą przepuściliśmy przez **machinę do monsteryfikacji** wraz z kością dinozaura. Dzięki temu uzyskaliśmy...

FRU!, załopotała następna kurtyna.

— **DINODZIEWCZYNĘ!**

Heca ze zgrozą przyjrzała się powołanej do życia kreaturze — pół dziewczynce, pół dinozaurzycy, z wielkim rogiem na głowie, którym raz po raz łomotała w ściany szklanego więzienia.

TRACH! TRACH! TRACH!

— Podobny los spotkał Swądka! — opowiadała dalej nauczycielka. — Dla niego, w celu **monsteryfikacji**, wybrałam ząb rekina. Chłopak już zawsze znany będzie światu jako...

Jak na zawołanie Mruk odsłonił nową gablotę. Za każdym razem robił to z większą satysfakcją i pompą.

— **CHŁOPAK-REKIN!**

Otoczony nie wodą, lecz powietrzem, pół chłopiec, pół rekin pływał w kółko, kłapiąc straszliwymi zębiszczami.

KŁAP! KŁAP! KŁAP!

Heca osunęła się na krześle. Robiła wszystko, żeby znaleźć się jak najdalej od tej bestii.

— Heco, czy wiesz, co to ameba? — zadała pytanie doktorka Doktur.

— Nie.

Nauczycielka westchnęła.

— Wiedziałam, że nie uważałaś na lekcjach. Ameba

jest jednokomórkowym organizmem, który rozmnaża się przez podział na dwa osobniki potomne.

— Brzmi nudziarsko — skomentowała dziewczynka.

— Cóż, ameby trochę przynudzają, żadna z nimi mądra gadka, ale kiedy Fangę wsadziliśmy do **machiny do monsteryfikacji** w parze z amebą, dziewczyna transmutowała w...

Tym razem ściągnięty materiał wylądował Mrukowi na głowie.

— **ATOMOWĄ AMEBĘ!**

W zbiorniku siedziała najdziwniejsza istota, jaką Heca do tej pory widziała. Fanga, wielkości chomika, dzieliła się na dwie!

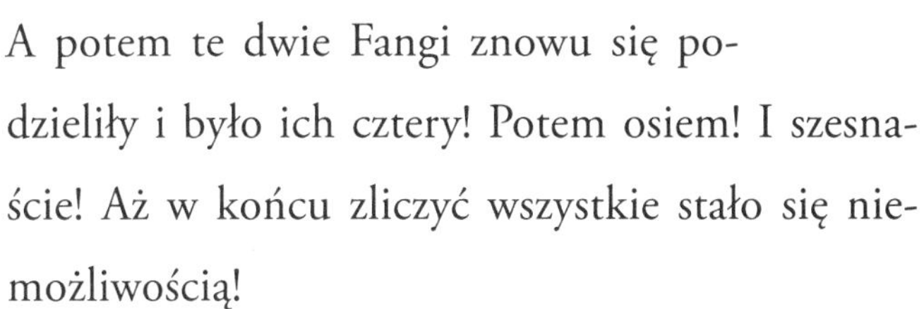

A potem te dwie Fangi znowu się podzieliły i było ich cztery! Potem osiem! I szesnaście! Aż w końcu zliczyć wszystkie stało się niemożliwością!

— Później, lecz nie mniej widowiskowo, zaeksperymentowaliśmy sobie z ogłuszającą wszystkich Wrzawą.

Zamieniłam ją w stworzenie, które w ogóle nie wydaje dźwięków — pochwaliła się doktorka.

Mruk już miał odsłonić pojemnik, ale…

— Jeszcze nie! — zatrzymała go naukowczyni. — Zepsujesz niespodziankę!

— HMM! — chrumknął mężczyzna.

Licho zdzieliła go łapą po łysinie.

PACH!

— Wrzawę zmonsteryfikowaliśmy w…

Mruk zastygł w oczekiwaniu na komendę.

— Teraz, na fizykę kwantową!

— HMM!

Tkanina osunęła się na podłogę i ukazała

GIGAMEDUZĘ!

Wrzawa przybrała postać wielgachnej poczwary — pół dziewczyny, pół meduzy. Przez szybę wydawała się opuchnięta i fioletowa.

Stwór chlupotał w górę i w dół, szukając drogi ucieczki.

— To, co zrobiła pani z tymi dziećmi, jest niegodziwe! — oburzyła się Heca.

— Dziękuję — odparła Doktur, promieniejąc z dumy. — Ale na tym nie koniec. Z potworami u boku zyskam władzę, o jakiej ci się nie śniło. Wkrótce zamienię w mutanta każdego ucznia **AKADEMII BEZLITOSNEJ**! Wtedy będę mogła opuścić wyspę i z pomocą mojej **machiny do monsteryfikacji** zamienić w POTWORY wszystkie dzieci na świecie!

— Wciąż nie rozumiem dlaczego!

— BO NIENAWIDZĘ DZIECI! — wyrzuciła z siebie kobieta.

— „Nienawidzić" to mocne słowo — zauważyła Heca.

— NIE ZNOSZĘ ICH! NIE TRAWIĘ ICH! NIE TOLERUJĘ! BRZYDZĘ SIĘ NIMI! POGARDZAM I LEKCEWAŻĘ!

— Dobra! W porządku! Myślę, że załapałam. Nie przepada pani za dziećmi…

— DZIECI SĄ ODRAŻAJĄCYMI KREATURAMI,

KTÓRE PO WSZE CZASY POWINNY CIERPIEĆ KATUSZE!

— Nawet ja? — spytała dziewczynka.

— ZWŁASZCZA TY!

— Zapomina pani, że i pani była kiedyś dzieckiem — przypomniała cicho Heca, w nadziei, że zdoła przemówić do sumienia kobiety.

Niestety doktorka Doktur była go pozbawiona.

— TAK! I byłam wstrętną małą okrutnicą. Zawsze wredną dla innych dzieci, zwierząt i osób starszych. Należało mnie wystrzelić w kosmos zaraz po urodzeniu!

— Racja, szkoda, że nikt na to nie wpadł!

Doktur zmrużyła groźnie oczy.

— Aleś ty wesolutka!

— Nie może pani tak bezkarnie się nad nami pastwić! Razem panią pokonamy!

— Nie ma żadnego „razem", kiedy mowa jest o bachorach z **AKADEMII BEZLITOSNEJ**. Dbają tylko o siebie. Teraz gdy udoskonaliłam mój epokowy wynalazek, gromada stworów wkrótce stanie się armią. Twój zaprzyjaźniony ogrodnik będzie następny!

— Czyli Robak jest jedynym dorosłym w **AKADEMII**, którego nie zastąpiliście robotem?

— Tak. Poza mną, ma się rozumieć. Robak czekał na samym końcu listy, on tylko grzebie w ziemi. Ale po szpiegowaniu do spółki z tobą i odkryciu moich planów uznałam, że zasłużył sobie na los

o wiele gorszy

niż

śmierć...

Rozdział 38

SUPERMOC SMARKÓW

Ma zostać zmutowany z ogromniastą babą z nosa?

— Tak!

— Hej, czym różnią się baby z nosa od brokułów?

— Dowcip, jak mniemam?

— Owszem. I właśnie trochę mi go pani psuje.

Doktorka Doktur westchnęła.

— Nie wiem. Jaka jest różnica między glutem a brokułem?

— Dzieci nie jedzą brokułów!

— To w ogóle nie jest zabawne.

— Właśnie że jest!

— Doprawdy z radością zamienię cię w potwora! — powiedziała nauczycielka i podeszła do szafy z osobliwościami. — Czym panna Heca chciałaby dziś zostać?

Kobieta powiodła paciorkowatymi oczami po swoich zbiorach:

— HMM! HMM! HMM! — zamruczał Mruk.

— Masz rację, Mruku! — odpowiedziała Doktur, która rozumiała każde słowo swojego asystenta. — Nie uprzedzajmy faktów. Jeszcze nie skończyliśmy z jej pomagierem, tym namolnym ogrodnikiem!

— NIE! — krzyknęła Heca.

— A może wolałabyś zająć jego miejsce?

Dziewczynka pokręciła głową. Chociaż bardzo lubiła Robaka, nie kwapiła się, by skończyć jako olbrzymi gil.

— Dlaczego chce pani połączyć go akurat z glutem?

— Pragnę, żeby ten osobnik zyskał supermoc smarków! — oświadczyła doktorka Doktur.

Heca poczuła, że nie nadąża. Na twarzy Mruka zamiast groźnej miny też malowała się konsternacja.

— Jakie supermoce posiadają smarki? — dopytywała Heca.

Mruk pokiwał głową. Jego również zżerała ciekawość. Nawet Licho zgodziła się, że trzeba to wyjaśnić.

— Cóż... — wybąkała nauczycielka. Wydawało się, że straciła nieco pewności siebie. — BABOL będzie bardzo lepki!

— Wielkie mi rzeczy — stwierdziła dziewczynka. — Klej również jest lepki!

— Tak, wiem, że klej jest lepki! — warknęła Doktur. — Ale czy jest zielony?

— Nie — odpowiedziała Heca, a Mruk tylko wzruszył ramionami.

— Ha! I tu cię mam! — ucieszyła się kobieta.

— Bycie zielonym to nie żadna supermoc! — tłumaczyła dziewczynka. — Zwyczajnie jest się zielonym, i tyle. Każdy mógłby się przemalować na zielono. Można udawać wielgachną brukselkę.

— Smarki są także śmierdzące!

— Moje nie są! — zapewniła Heca.

— Po prostu nie czujesz, bo masz zapchany nos!

— Wydawałoby się, że to akurat idealne miejsce do tego, żeby je powąchać! — drążyła temat dziewczynka. Kiedy zrobiła minę do Mruka, ten skinieniem głowy dał znak, że podziela jej opinię.

— HMM!

Licho też przytaknęła.

— CISZA! — huknęła doktorka Doktur. — Mruku! Przemieńmy tego żałosnego człowieczynę w poczwarę!

Zabrali się do dzieła, a Hecy pozostało tylko bezskutecznie siłować się z więzami, które trzymały ją na miejscu. Przez cały ten czas Robak leżał nieruchomo na metalowym stole.

— Szklarnia w dół! — rozkazała nauczycielka, a Mruk natychmiast szarpnął za łańcuchy.

SZCZĘK! BRZĘK! SZCZĘK!

Szklana konstrukcja z ŁUPnięciem osiadła na podłodze.

— A teraz, Mruku, uwolnij moc lawy!

Mężczyzna pociągnął za dźwignię, a okrągła pokrywa odsłoniła otwór pod podłogą.

STUK!

Jaskinię znów rozświetliła bijąca od lawy czerwonozłota poświata.

Mruk umieścił w buzującej magmie metalową rurę **machiny do monsteryfikacji**.

— Niechaj powstanie pierwszy BABOL mojego projektu! — obwieściła butnie Doktur. Pokręciła kilkoma gałkami, wcisnęła różne guziki, a jej ukochana maszyna ruszyła z furkotem.

WRRR!

Szklarnia zamigotała światłem emitowanym przez pole siłowe urządzenia.

Jednocześnie Robak dostał gwałtownych drgawek, jego ciało — komórka po komórce — rozpoczęło przemianę w... SMARKI. Każda część stawała się lepka, zielona i smrodliwa.

— AAA! — Wił się z bólu.

— BŁAGAM WAS! OSZCZĘDŹCIE GO! — prosiła Heca.

— NIGDY! — odmówiła mściwa doktorka.

Tuż przy dużym palcu stopy dziewczynki znajdowała się gałka od potencjometru **machiny do monsteryfikacji**. Jedyną szansą na ratowanie przyjaciela było przestawienie wskaźnika na najwyższą pozycję na **SKALI NIEBEZPIECZEŃSTWA**, co przy odrobinie szczęścia powinno spowodować eksplozję mechanizmu. Heca zrzuciła but, wyprężyła stopę i przekręciła gałkę na SZCZYT NIEBEZPIECZEŃSTWA!

Wywołało to w maszynie szaleńcze wstrząsy.

TRZĘSU-TRZĘS-TRZĘS!

Posypały się iskry, a z wnętrza aparatury buchnął dym.

BUCH!

— CO SIĘ DZIEJE? — krzyknęła nauczycielka.

Mruk biegał i przyciskał po kolei guziki, ale nic nie dało się już zrobić.

Niestety stan Robaka dramatycznie się pogorszył. Ogrodnik stał się największym, najpotworniejszym potworem ze wszystkich! BABOL bez trudu zerwał skórzany pas, którym był przymocowany do stołu…

TRZASK!

…i usiadł, głową rozbijając jedną z szyb szklarni.

KRACH!

Chwycił konstrukcję i pchnął ją w kierunku sufitu.

SZCZĘK!

Potem cisnął metalowym stołem na drugi koniec jaskini.

ŁUBU-DU!

Doktur i Mruk spojrzeli na siebie z NIEMYM PRZERAŻENIEM. Coś poszło nie tak. Bardzo nie tak. A nawet gorzej.

Heca przełknęła ślinę.

O nie!, pomyślała.

Co ja najlepszego narobiłam?

Rozdział 39

DOCHODZI DO KATASTROFY!

Na widok BABOLA, który kroczył przez jaskinię, siejąc chaos i zniszczenie, pozostałe potwory zaczęły wiercić się w swoich gablotach.

Heca obserwowała, jak BABOL człapie ku tym, którzy go stworzyli.

Doktorka Doktur ze strachu schowała się za Mrukiem, który z kolei w mig czmychnął za nią. Wtedy ona znów ukryła się za jego plecami, po

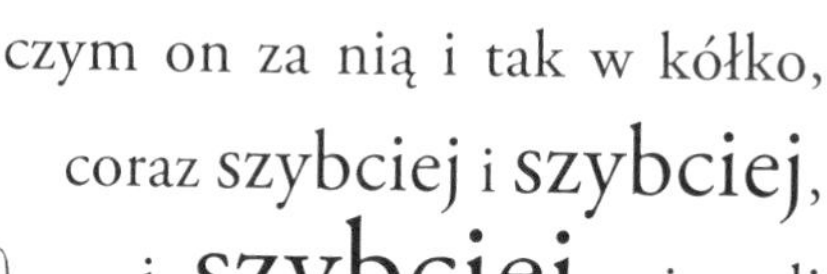

czym on za nią i tak w kółko, coraz szybciej i szybciej, i szybciej, aż stali się wirującym minitornadem.

WIRRRRRR!

Reszta kreatur łomotała w szklane ściany swoich kontenerów.

PRASK!

Każdy dziwoląg chciał czym prędzej wyrwać się na swobodę.

Heca zdała sobie sprawę, że jej także nie nadarzy się inna okazja do ucieczki. Sięgnęła stopami do podłogi i odsunęła krzesło na kółeczkach najdalej, jak tylko zdołała.

SZUU!

— MRUK! POWSTRZYMAJ JĄ! — poleciła Doktur.

Licho owinęła ogon wokół oparcia krzesła i wykręciła Hecę na środek jaskini.

WZIU!

Kocica zrobiła to z taką mocą, że krzesło się przewróciło i rąbnęło o kamienną posadzkę.

KRACH!

— AAA! — wrzasnęła obolała dziewczynka.

Na szczęście upadek poluzował łańcuchy i mogła teraz wyswobodzić się z więzów. Ale gdy jej się to udało, Mruk pochwycił ją za kostkę i uniósł do góry.

— PUSZCZAJ! — krzyknęła i wierzgnęła najmocniej, jak potrafiła, żeby się uwolnić. Przysadzisty Mruk stracił równowagę i wpadł plecami na jedną z gablot.

BAM!

Siła uderzenia przewróciła zbiornik.

BUCH!

To spowodowało efekt domina — każdy zbiornik przewracał sobą następny.

BA-BACH!

BA-BACH!

BA-BACH!

Grube szyby w gablotach rozprysły się na kawałeczki!

TRACH!

Nagle wszystkie potwory znalazły się na wolności!

CZŁOWIEK METEOR śmignął przez jaskinię niczym śmiercionośna kula ognia.

ŚLIMOROTWÓR odpełzł w poszukiwaniu ofiary.

ATOMOWA AMEBA przeszła kolejne podziały, aż powstała armia Fang.

GIGAMEDUZA prężyła się to w górę, to w dół.

DINODZIEWCZYNA wydała z siebie potężny ryk: „RAAAR”!

CHŁOPAK-REKIN zataczał w powietrzu kręgi, kłapiąc zębami.

KŁAP! KŁAP! KŁAP!

Tymczasem BABOL był już nos w nos z doktorką Doktur.

— NIE! NIE! BABOLU! BŁAGAM! NIE! TO JA CIĘ STWORZYŁAM! JESTEM TWOJĄ MATKĄ! — skamlała.

Stwór dorwał nauczycielkę i jej asystenta. Usadowiona na głowie mężczyzny kocica chciała dziabnąć **BABOLA**, ale zamiast tego przykleiła się do niego i utknęła.

— MIAU! — rozpaczała.

Mruk nie puszczał kostki Hecy, mimo że dziewczynka robiła, co mogła, by się uratować, łącznie z łaskotaniem go pod pachą. Mężczyzna nawet się nie uśmiechnął. Wszyscy troje zostali pojmani przez **BABOLA**.

— POTWORY! DO ATAKU! — komenderowała doktorka Doktur. — NA BABOLA!

Atak poprowadziła DINODZIEWCZYNA. Rzuciła się na lepkiego przeciwnika i za pomocą długiego ostrego rogu dźwignęła go do góry.

BABOL pociągnął Doktur, Mruka, Licho i Hecę za sobą.

Pozostałe potwory ustawiły się za DINO-DZIEWCZYNĄ w złowrogim półkolu.

— Jejku — westchnęła Heca. — Ale mam dzisiaj pecha!

Rozdział 40

WYDŁUB, POLIŻ I PSTRYKNIJ

Trzy rzeczy, o których warto pamiętać na temat gigantycznych bab z nosa.

Są zielone.

Brzydko pachną.

Ale przede wszystkim strasznie się lepią.

Potwora takiego jak **DINODZIEWCZYNA** nie zrazi kolor zielony ani smrodek. Jednak lepkość może przysporzyć kłopotu. I tak też się stało.

Potworzyca zebrała wszystkie siły, żeby cisnąć **BABOLEM** w dal, ale zupełnie tak jak z tą wydłubaną i polizaną lepką babą z nosa, choćby nie wiem, jak się starać, nie daje się wypstryknąć. Potwór nie mógł pozbyć się potwora.

DINODZIEWCZYNA zamachała **BABOLEM** nad głową. Lecz dalej się trzymał.

Wywinęła nim parę energicznych kółek, ale nadal tkwił uczepiony jak skałoczep.

Podskoczyła kilka razy, aż zatrzęsła się jaskinia.

GRUCH!

Nic nie robiło na **BABOLU** najmniejszego wrażenia.

— WRRR! — Pół dziewczynka, pół dinozaur zawarczała z wściekłości. Jak każdy, kto nie może pozbyć się gigababy.

Potem zaatakowała ścianę groty swoim rogiem.

BACH!

CHRUP!

Ściana zaczęła się kruszyć.

— NIE, **DINODZIEWCZYNO**, NIE! — starała się ją powstrzymać Doktur, choć na nic się to zdało.

Spadł na nich grad kamieni.

ŁUP! ŁUP! ŁUP!

Do wnętrza pieczary runęła kamienista lawina.

Powietrze zgęstniało od pyłu.

UMFFF!

Nadszedł idealny moment na ucieczkę. Dlatego bez chwili wahania i bez do widzenia Heca popędziła w górę po schodach i zatrzasnęła za sobą niewidzialne drzwi.

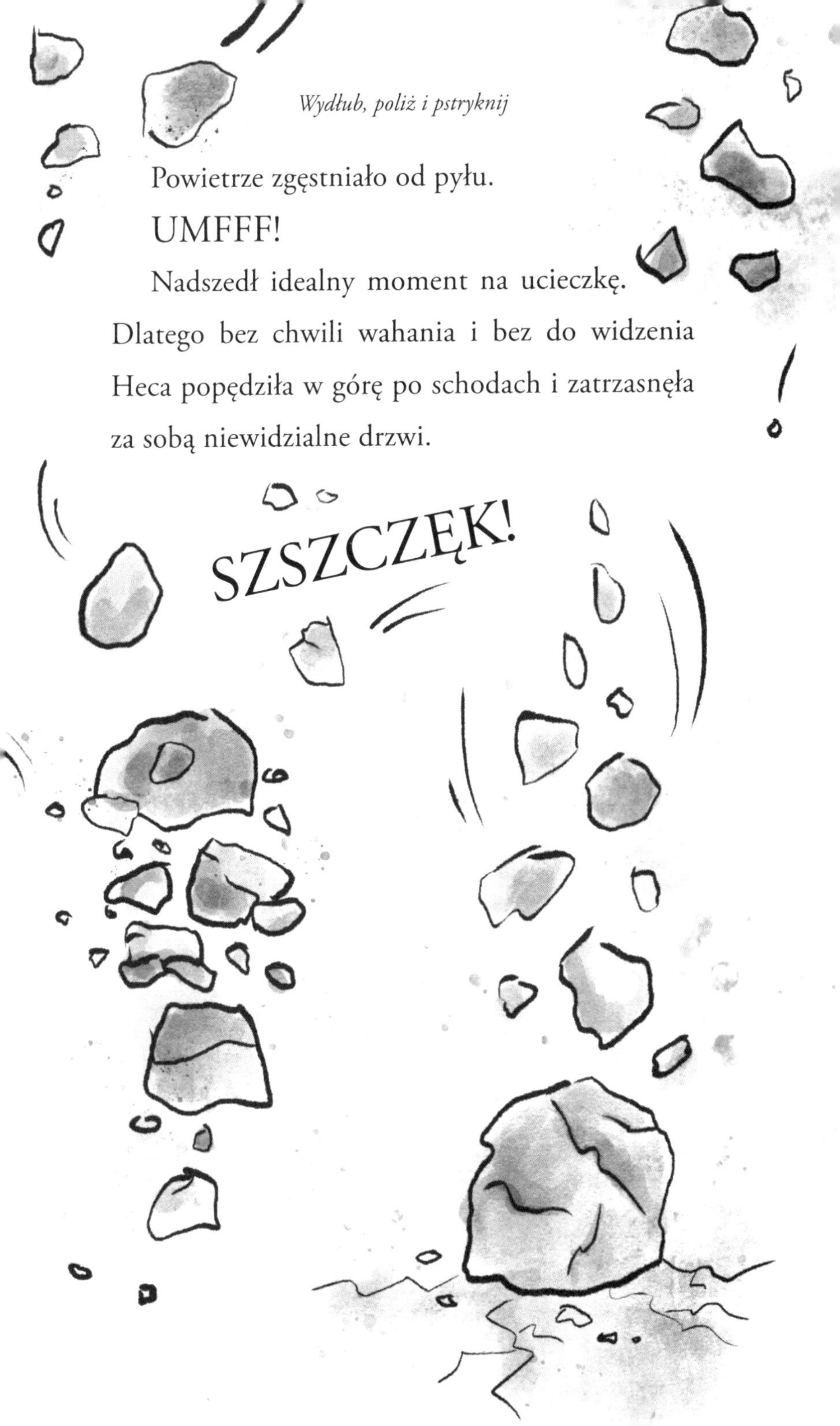

Rozdział 41

CIEMNOŚCI

Dziewczynka biegła przez podziemia pod zamkiem. Nie pozwoli, żeby doktorka Doktur zamieniła ją w potwora, dlatego zamierzała jak najprędziej opuścić tę koszmarną wyspę.

Ale nagle poczuła ukłucie wyrzutów sumienia.

Co się stanie z jej przyjaciółmi, którzy zostali w jaskini? Co z Klocem, Skorkiem, Swądkiem, Fangą, Świrką, Wrzawą i Robakiem?!

Czy dało się zrobić cokolwiek, żeby ich ratować?

Niespodziewanie zaskoczył ją dźwięk otwieranych drzwi.

SKRZYP!

Gdy zerknęła w tamtym kierunku, potknęła się o but rycerskiej zbroi.

BRZDĘK!

Już miała wstać z podłogi, kiedy usłyszała czyjeś kroki.

CZŁAP! CZŁAP! CZŁAP!

Ruszył za nią pościg! Potwory, Mruk, a na czele tej gromady szła obsypana kurzem doktorka Doktur. Jedyne, co Heca mogła

uczynić, to modlić się, żeby jej nie dostrzegli w ciemnościach. Na szczęście i ją pokrywała warstwa pyłu, miała więc wszelkie szanse wtopić się w mrok.

Zamknęła oczy i skuliła się. Stąpanie ludzi i stworów słychać było coraz głośniej i głośniej…

CZŁAP! CZŁAP! CZŁAP!

…ale po chwili zaczęło cichnąć.

Heca odważyła się otworzyć jedno oko. Zobaczyła, jak szkarady człapią kamiennymi schodami na podwórze.

Najciszej, jak potrafiła, podniosła się z podłogi, a gdy się upewniła, że wszyscy już poszli, pozwoliła sobie odetchnąć z ulgą.

— UFFF!

Wtedy poczuła na ramieniu czyjąś dłoń.

Olbrzymią dłoń.

Zieloną dłoń.

Lepką dłoń.

To był **BABOL**!

— AAA!

Rozdział 42

JAK MUCHA DO LEPU

BABOLU! PUSZCZAJ! — prosiła Heca, lecz zamiast tego potwór położył drugą lepką dłoń na jej ramieniu.

— WRRRR! — zawarczał.

Po raz pierwszy w swoim krótkim życiu dziewczynka zaczęła się obawiać, że zostanie pożarta przez monstrualną babę z nosa.

— BABOLU, PROSZĘ! BŁAGAM! NIE!

Potwór podniósł dziewczynkę i rozdziawił obrzydliwą zieloną paszczę.

W tym samym momencie Heca dostrzegła w oczach stwora jakby przebłysk rozpoznania.

— ROBAKU! — powiedziała. — ROBAKU! NIE RÓB TEGO! TO JA! TWOJA PRZYJACIÓŁKA! HECA!

Potwór się zatrzymał.

— ROBAKU, PROSZĘ CIĘ. NIGDY, PRZENIGDY BYM CIĘ NIE SKRZYWDZIŁA!

Oblicze stwora złagodniało.

— Działamy razem! Pamiętasz?

BABOL skinął głową.

— POSTAW MNIE, PROSZĘ!

Człekokształtny glut odstawił ją na ziemię.

— Och! Przykleiliśmy się do siebie, jak muchy do lepu! — zauważyła Heca. Wierciła się, to w tę, to w tamtą stronę, ale za nic nie mogła się oderwać. Zdjęła więc sweter i zostawiła w rękach potwora.

— Możesz go zatrzymać, chociaż wątpię, czy to twój rozmiar — zażartowała.

Wyczuła, że stwór odpowiedział jej *uśmiechem*.

— ROBAKU! Wiedziałam, że wciąż gdzieś tam jesteś! — Heca już otwierała ramiona, żeby go uściskać, ale w porę się opamiętała. Przecież znowu by utknęła.

— Robaku, potrzebna mi twoja pomoc. Sama nie dam rady. Za to razem na pewno pokonamy doktorkę Doktur i pomożemy dzieciakom uciec z tej wyspy. Mogę na ciebie liczyć?

Po chwili zmagania stworzenie zdołało odpowiedzieć:

— TAK!

— Potrafisz mówić! Teraz kiedy jesteś potworem, masz różne potworzaste moce. Ja niestety nie, więc jeśli chcę pokonać te czarne charaktery, będę musiała zrobić z siebie jakąś superbohaterkę!

Heca rozejrzała się po podziemiach. Było tam dość towaru na kilka pchlich targów.

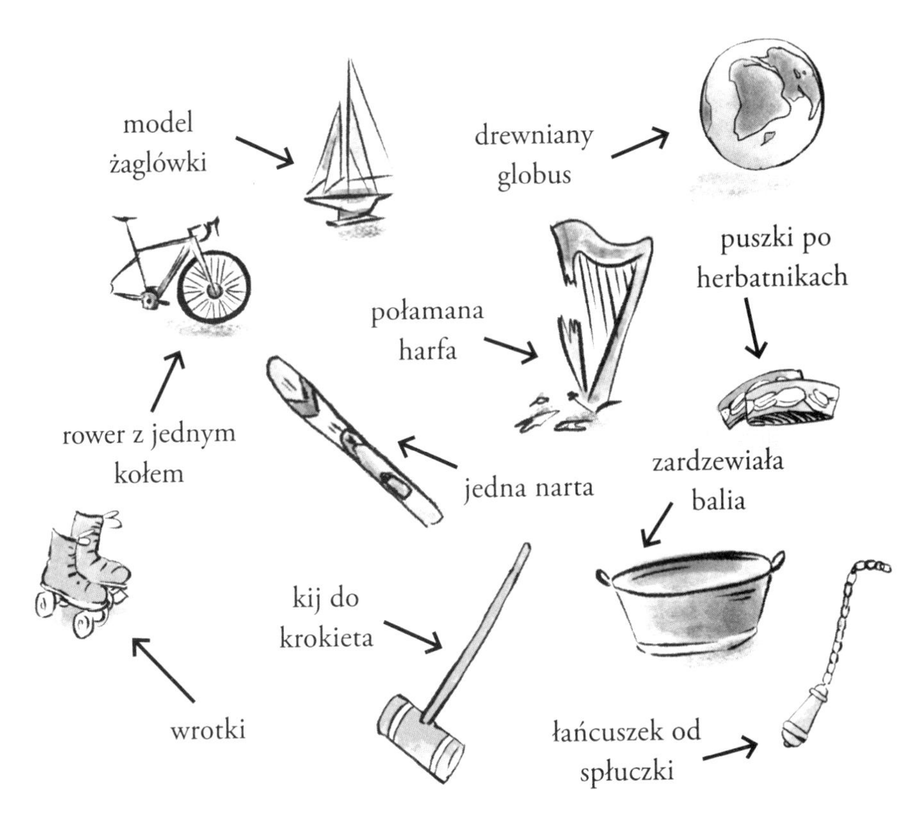

— Doktur i jej straszliwa banda wrócą, gdy tylko się zorientują, że w zamku mnie nie znajdą! — przewidywała Heca. — Złapmy, co wpadnie nam w ręce, i schowajmy się gdzieś.

— SZOPA? — zaproponował BABOL.

— Dryfuje po morzu w stu kawałkach, zapomniałeś?

— HMMM, TWÓJ... POKÓJ?

— Od niego na pewno zaczną poszukiwania!

Już wiem! Laboratorium Doktur! Nigdy się nie domyśli, że starczy mi tupetu, żeby tam się zaszyć. Bierz, co tylko zdołasz, i idziemy!

Jako potwór o lepkiej strukturze **BABOL** mógł chwycić całkiem sporo. Obładowani klamotami pognali schodami na górę.

— Będę potrzebowała jakiegoś imienia! — odezwała się dziewczynka. — To nie fair, że wszyscy mają w dechę imiona, tylko nie ja!

Rozdział 43

GADŻETKA

W kwaterze nauczycielki Heca i BABOL zabrali się do pracy nad strojem superbohaterki. Minęła już północ. Lekcje dawno się skończyły i wszyscy chrapali w łóżkach. Poczynania naszej dwójki obserwowała jedynie witrażowa podobizna doktorki Doktur.

Ukrywanie się w laboratorium miało ten zasadniczy plus, że dysponowali o wiele większą liczbą „zabawek" — nie tylko tymi, które zwinęli z piwnicy, ale całym dziwacznym i cudownym wyposażeniem pracowni.

Heca w lot przeobraziła się w superbohaterkę gotową stawić czoło zgrai maszkar — co prawda bohaterkę domowej roboty, ale nadal super.

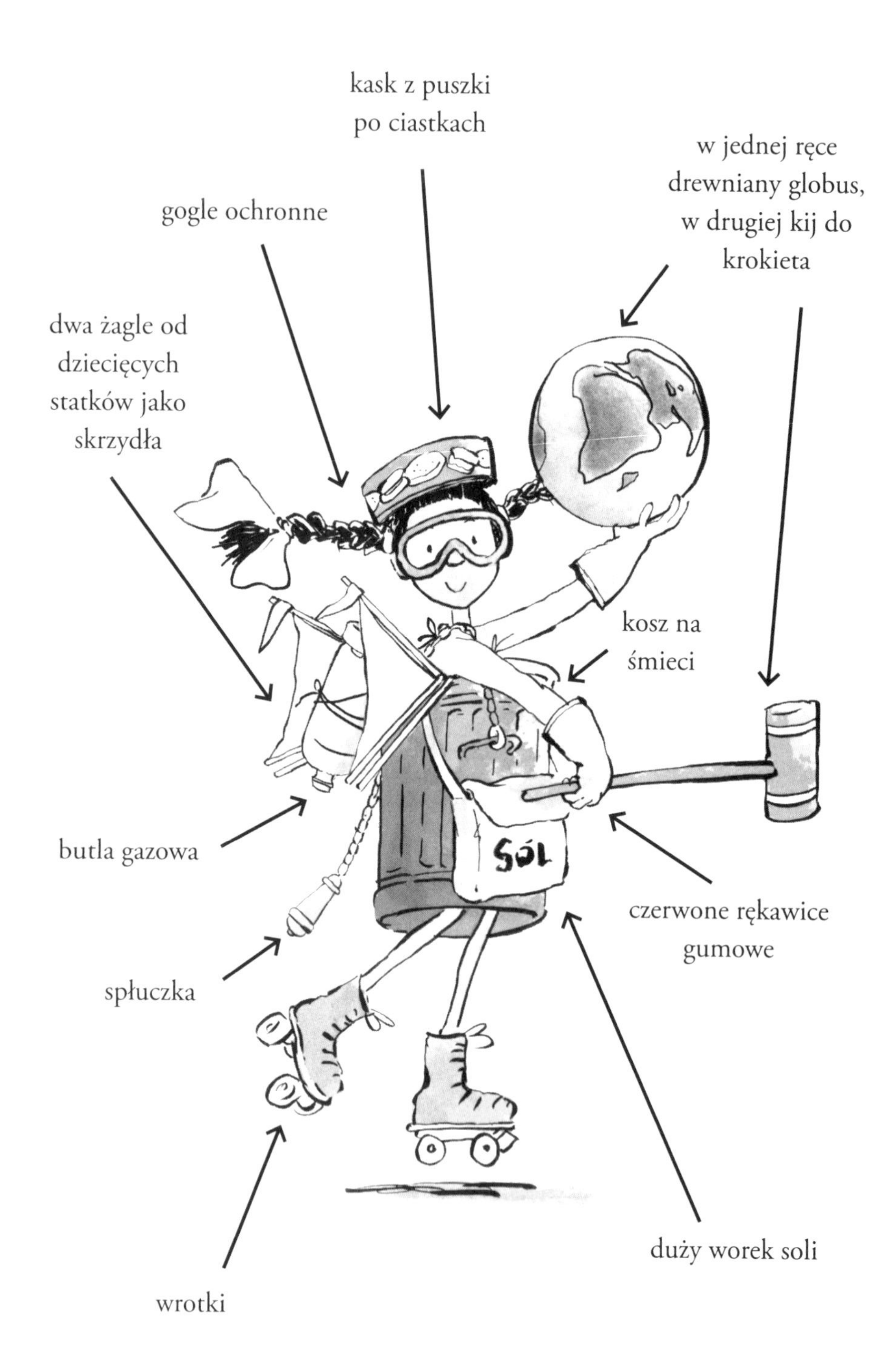
kask z puszki
po ciastkach
w jednej ręce
drewniany globus,
w drugiej kij do
krokieta
gogle ochronne
dwa żagle od
dziecięcych
statków jako
skrzydła
kosz na
śmieci
SÓL
butla gazowa
czerwone rękawice
gumowe
spłuczka
duży worek soli
wrotki

Dla dopełnienia stroju włożyła na głowę puszkę po ciasteczkach i przyjrzała się swojemu odbiciu w przeszklonych szafkach.

— Tadam! — zawołała. — Co o tym sądzisz, **BABOLU?**

Potwór wzruszył ramionami. Po jego lepkim i zielonkawym wyrazie twarzy można było poznać, że dziewczynka wygląda raczej śmiesznie.

— No weź! Fajnie wyszło! — droczyła się. — Połączenie wrotek i butli gazowej oznacza, że umknę przed **GIGAMEBUZĄ** z prędkością światła!

— Jak przechytrzysz **CHŁOPAKA-REKINA**? — spytał przytomnie **BABOL**.

— A myślisz, że po co mam to? — odparła Heca i potrząsnęła żagielkami przypiętymi do pleców. — Skrzydła! Będę fruwać, tak jak on!

— Hmm. A z tym co zrobisz? — Wskazał na glob.

— Znokautuję wszystkie **ATOMOWE AMEBY** za jednym zamachem! Rozpierzchną się jak strącone kręgle! Metalowy pojemnik na śmieci ochroni mnie przed płomieniami **CZŁOWIEKA METEORA!** A czego nie znoszą ślimaki?

BABOL zastanowił się nad tym długo i wnikliwie.

— Niegrzecznych kelnerów?

— Nie! Spójrz!

Heca pokazała mu swój worek soli.

— Nie cierpią soli! — odgadł potwór.

— Mamy to!

— A dlaczego włożyłaś puszkę po herbatnikach na głowę?

— Niech no tylko **DINODZIEWCZYNA** spróbuje się przez nią przebić — odpowiedziała i stuknęła w blachę, aż zadźwięczało.

B R Z D Ę K!

Heca brzdęknęła odrobinę za mocno, więc puszka się wgniotła.

W G N I O T!

— Auć! Skoro ta puszka jest na tyle solidna, żeby osłaniać różowe wafelki, na pewno bez trudu osłoni potężny mózg…

— Hmmm?

— Werble, proszę!

— Hmmm?

— Mózg GADŻETKI!

Zapanowała cisza.

— Podoba ci się moje imię dla superbohaterki?

BABOL wzruszył ramionami.

— Na pewno jest o wiele fajniejsze niż BABOL! — stwierdziła.

Stwór przewrócił lepkimi zielonymi oczami.

Doszłoby między nimi do kłótni, ale dziewczynka usłyszała z korytarza człapanie potworów.

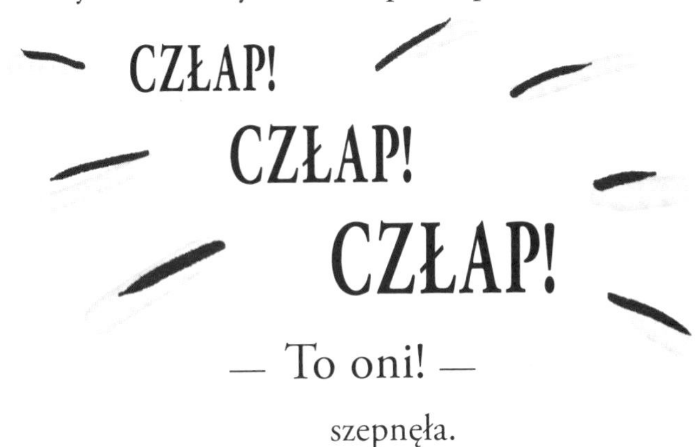

— To oni! — szepnęła.

Rozdział 44

SZYKUJCIE SIĘ NA ANIHILACJĘ!

TUP! TUP! TUP!

Kroki poczwar umilkły przy drzwiach pracowni doktorki Doktur.

Ze strachu Heca głośno przełknęła ślinę. Paskudy były tak blisko, że czuła ich zapach.

— Możemy to zrobić tylko w jeden sposób — szepnęła.

— Jaki? — spytał **BABOL**.

— Razem.

Wtem rozległ się straszliwy łomot w drzwi.

BACH! *ŁUBU-DU!*

BUCH!

Heca pojechała na wrotkach na drugi koniec sali i kiwnęła na BABOLA, żeby za nią poszedł.

Drzwi dostawały ostre lanie.

— Zamknąłeś je na klucz? — dopytywała cicho dziewczynka.

BABOL pokręcił głową.

— DRZWI OTWARTE! — zawołała.

W tym samym momencie nie tylko drzwi, ale także okalający je kawałek ściany z rumorem wpadły do środka.

KRACH!

W progu stała doktorka Doktur i jej wierny pomagier, Mruk, oczywiście z kocicą przycupniętą na łysej głowie. Wszystkie sześć potworów tłoczyło się za ich plecami.

Na widok przebrania dziewczynki nauczycielka uśmiechnęła się drwiąco.

— A ty niby kim masz być?

— Jestem **GADŻETKA!** — oznajmiła Heca. — Założę się, że już drży pani ze strachu!

— Ani trochę.

— W środku jest pani rozdygotana jak galareta! To ostatni moment, by dać drapaka!

Teraz także Mruk, Licho i potwory parsknęli śmiechem. — HO! HO! HO!

— PRYCH! PRYCH! PRYCH!

— Otrzymaliście swoją szansę — powiedziała Heca. — Szykujcie się na ANIHILACJĘ!

Dziewczynka zamaszystym gestem pociągnęła za przymocowany do jej pleców łańcuszek od spłuczki. Z butli wystrzelił gaz.

PFFFFT!

Wrotki poniosły Gadżetkę naprzód…

F R R R U!

…w bardziej niż ślimaczym tempie. Nikt nie miałby nam za złe, gdybyśmy powiedzieli, że w ogóle nie ruszyła z miejsca.

Odgłos ulatniającego się ze zbiornika gazu był tragicznie żenujący.

PFFFFT!

Brzmiało to jak zadkobeknięcie niespiesznie ulatniające się z zadu wiekowego słonia.

— UPS! — odezwał się **BABOL**.

— Dobrze powiedziane — zgodziła się **GADŻETKA**.

— Teraz wy szykujcie się na ANIHILACJĘ! — oświadczyła Doktur. — POTWORY! ZNISZCZYĆ ICH!

ATOMOWA AMEBA znów podzieliła się niezliczoną ilość razy, aż w końcu zablokowała sobą wyjście. Nie było możliwości ucieczki.

GIGAMEDUZA sprężynowała już nie tylko w górę i w dół, ale i na boki. Podskakiwała z taką siłą, że pył i gruz odbijał się od ścian niczym grad pocisków.

PIF-PAF!

PING!

KRACH!

KABUUM!

CHRUUUP!

DINODZIEWCZYNA zaryczała i uniosła groźnie róg.

– RYYYK!

ŚLIMOROTWÓR zaczął pełznąć po ścianie.

Korytarz rozświetlał **CZŁOWIEK METEOR**. Gorąco buchające od płomieni czerwonej bestii groziło pożarem zamczyska.

ŁUUSZSZ!

Ponad ich głowami szybował przerażający, latający zabójca... **CHŁOPAK-REKIN**!

Czasem w obliczu wielkiego niebezpieczeństwa najlepszą strategią jest...

...SIĘ WYCOFAĆ!

BRAĆ NOGI ZA PAS!

WIAĆ NAJSZYBCIEJ, JAK SIĘ DA!

Właśnie tak zrobiła Heca. Chyba jednak zapomniała, że ma na nogach wrotki, bo kiedy spróbowała rzucić się do ucieczki, wszystko wymknęło się spod kontroli.

WZIUUU!

— ŁOJ! — zdążyła krzyknąć, zanim gruchnęła w olbrzymi witraż z podobizną diabolicznej doktorki.

KRACH!

Rozdział 45

OSTATECZNA ROZGRYWKA

— MOJE OKNO! — krzyknęła nauczycielka. — POTWORY! ZA NIĄ!

— PRYCH! — syknęła Licho i wbiła ostre jak brzytwa pazury w wielką glacę Mruka.

— UCH! — mruknął asystent. Tym razem nie brzmiało to jak pomruk na „tak" lub „nie", ale jak jęk prawdziwego bólu.

Horda potworów postanowiła przecisnąć się przez wybite okno.

BABOL naprędce wykombinował, jak im przeszkodzić — wskoczył na futrynę i niczym monstrualna plama smarków wypełnił ramę okna.

— BĘDZIECIE MUSIELI PRZEJŚĆ PRZEZE MNIE! — zawołał, zadowolony z siebie. O ile baba z nosa może być z siebie zadowolona.

Paskudy się zawahały, zapewne na wspomnienie tego, w jaką lepką pułapkę wpadły w jaskini.

— DO ATAKU! — nakazała Doktur.

Kocica uniosła łapę, żeby rozpocząć szturm.

— PRYCH!

Na ten rozkaz Mruk, Licho i sześć stworów ruszyli równym krokiem na BABOLA...

MLASK!

...i natychmiast wchłonął ich wielki, zielony, glutowaty galimatias.

Razem wypadli przez okno i huknęli o ziemię.

ŁUBU-DU!

Heca wylądowała do góry nogami w żywopłocie. Znad liści wystawały jej wrotki. Nie wierzyła własnym oczom, kiedy zobaczyła wszystkie sześć poczwar, Mruka oraz Licho splątanych ze sobą w gigantycznym smarku, jakby...

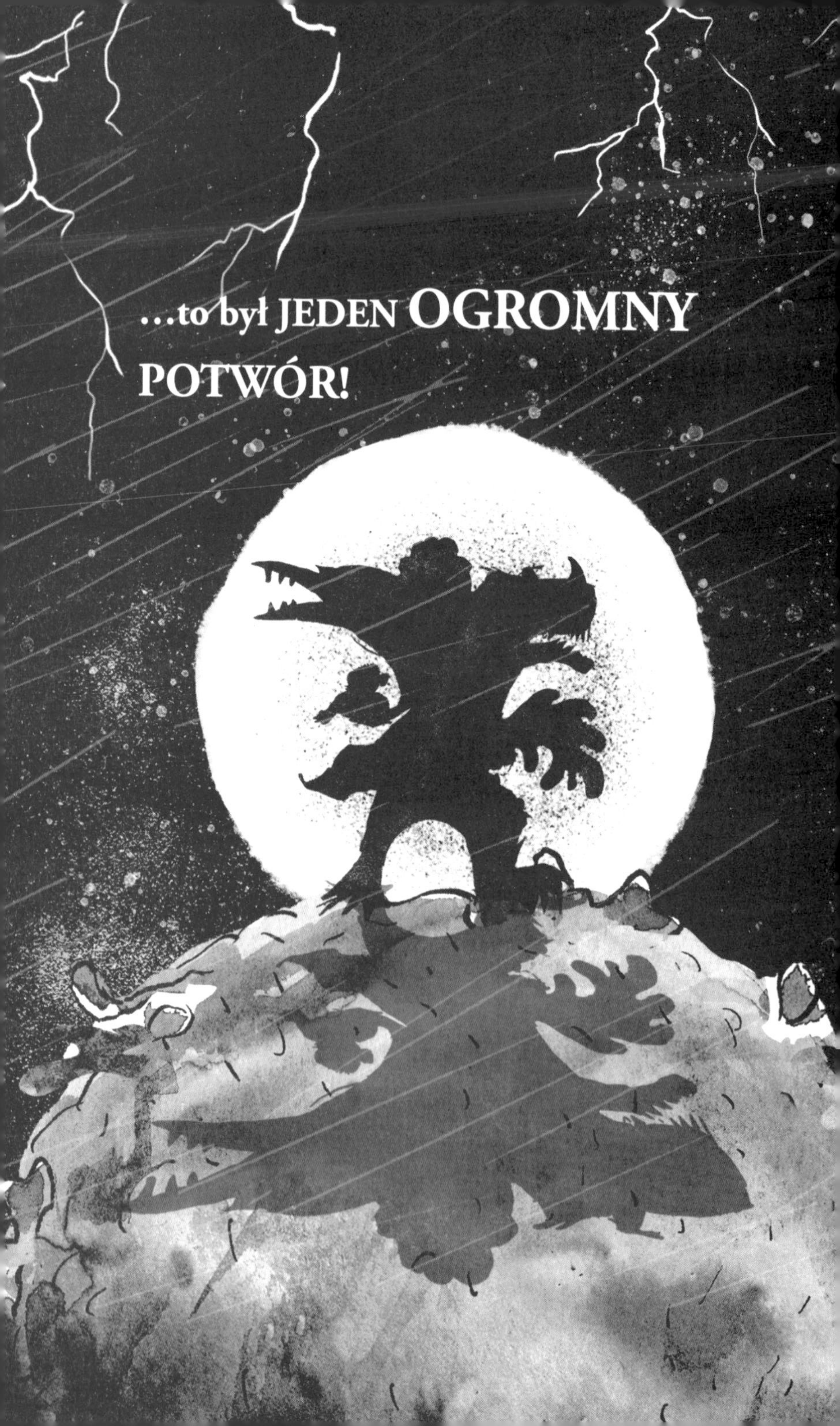
…to był JEDEN OGROMNY POTWÓR!

Monstrualne monstrum podniosło się na lepkie zielone nogi i stanęło nad dziewczynką, rzucając w świetle księżyca długi mroczny cień.

Z okna laboratorium doktorka Doktur wydała z siebie triumfalny okrzyk:

— OTO ONO,

MOJE

MEGAMONSTRUM!

Rozdział 46

POTWÓR NAD POTWORY

MEGAMONSTRUM było potworem nad potwory.

Miało aż trzy głowy — głowę rekina, głowę ze smarków i głowę dinozaura. Rekin i dinozaur ryczały i kłapały zębami, bez wątpienia wściekłe, że muszą tkwić sklejone ze sobą w babie z nosa.

Jedną z jego rąk utworzyła **ATOMOWA AMEBA**, która znów przechodziła kolejne błyskawiczne podziały.

Druga ręka splątała się z **CZŁOWIEKIEM METEOREM** i paliła słonecznym żarem.

Trzewia bestii tworzył **ŚLIMOROTWÓR**, który nieustannie się wiercił i próbował uciec.

Prawa noga **BABOLA** splotła się z Mrukiem i w miejscu kolana znalazła się jego wielka łysa głowa.

Jeśli Mruk wyglądał na rozzłoszczonego, to Licho była naprawdę wściekła! Nigdy nie widzieliście kota doprowadzonego do takiej furii.

Lista rzeczy, których koty nienawidzą, jest długa:

Ale nie ma dla kota nic gorszego, niż być zagluconym*.

---

*Prawdziwe słowo, które znajdziesz w najlepszym na świecie, choć zbyt drogim, Walliamsowniku.

Zielona i obślizgła lewa noga zamiast stopy miała galaretę. A dokładniej galaretowatą GIGA-MEDUZĘ.

— MEGAMONSTRUM, ROZKAZUJĘ CI UNICESTWIĆ TĘ DZIEWUCHĘ! — powiedziała Doktur.

Heca usiłowała wyplątać się z żywopłotu, ale w tej pozycji okazało się to niemożliwe. Jej zawrotkowane stopy może i fikały nad liśćmi, jednak tułów skutecznie utknął przytrzymywany przez gałęzie żywopłotu. Szamotanie nic nie dało.

— STÓJCIE! — krzyknął BABOL, który próbował zatrzymać w miejscu własne ciało wraz z wierzgającymi w nim potworami.

Problem polegał na tym, że chociaż skleili się w jedną masę, nie potrafili współpracować. Każdy ciągnął w swoją stronę, jednocześnie warcząc i kłapiąc zębami na pozostałych.

MEGAMONSTRUM zrobiło chwiejny krok naprzód.

Tak ciężki, że siła uderzenia katapultowała Hecę z krzaków w powietrze.

Wylądowała na plecach z głośnym

BRZDĘKIEM!

Strój **GADŻETKI** mocno krępował ruchy. Przez chwilę dziewczynka leżała na ziemi, machając rękami i nogami jak przewrócony żuk.

— UCH! — stęknęła zniechęcona. W końcu udało jej się przetoczyć na brzuch. Zanim jednak zdołała sama stanąć na nogi, poczuła, że unosi się

w górę. To **ATOMOWA AMEBA** pochwyciła ją w nibynóżki. Kiedy Heca mijała **ŚLIMOROTWORA**, spróbowała rzucić w niego garścią soli, ale tylko naprószyła sobie do oczu.

— AU!

ATOMOWA AMEBA przesuwała dziewczynkę wyżej i wyżej, ku coraz większemu niebezpieczeństwu. W końcu znalazła się na wysokości głów **MEGAMONSTRUM**!

— JEJKS!

Biedny **BABOL** był środkową głową megapotwora, z głowami **CHŁOPAKA-REKINA** i **DINODZIEWCZYNY** ciągle obijającymi się o niego, bo stwory walczyły między sobą o to, kto pożre dziewczynkę jako pierwszy.

KŁAP!

— *WRRR!*

— UŻYJ BRONI! — poradził **BABOL**.

— Ale mogę niechcący trafić ciebie!

Megaglut potrząsnął głową.

— O MNIE SIĘ NIE MARTW!

Heca wrzuciła globus do paszczy rekina. Nawet tak zmutowanemu drapieżnikowi drewniana kula musiała stanąć w gardle. Pomimo zębów ostrych niczym samurajskie miecze potwór nie dał rady jej rozgryźć. Zupełnie jak dziecko, które w sklepie ze słodyczami wybrało landrynkę wielkości własnej głowy. Może i zmieści się do

buzi, ale szanse na przełknięcie takiego cuksa są zerowe.

DINODZIEWCZYNA naigrawała się z nieszczęścia **REKINA**, dopóki sama nie oberwała w łeb kijem do krokieta.

BACH!

Potworzyca straciła przytomność.

— TAK! — dopingował **BABOL** spomiędzy dławiącego się rekina i śniętego dinozaura.

— HA! HA! — zaśmiała się ***GADŻETKA***.

Ale jeśli myślała, że uzyskała przewagę, to popełniła ogromny błąd, bo sekundę później ktoś z dołu

przypuścił

podstępny

atak…

Rozdział 47

Z ZASKOCZENIA

AUAAA! — wrzasnęła ze łzami w oczach Heca. Licho zatopiła kły w jednej z wrotek tak głęboko, że przebiła się przez but. Ból w stopie palił dziewczynkę żywym ogniem. Kiedy usiłowała się wyrwać, dostała się prosto w łapy **CZŁOWIEKA METEORA**. Teraz nie było to już tylko wrażenie, jej stopa naprawdę płonęła!

BUCH!

— AUAAAAJ! — płakała Heca.

ATOMOWA AMEBA zakręciła nią kilka szybkich młynków, a potem puściła.

FRRR!

WZIUUU!

Heca wystrzeliła w powietrze.

Po drodze zawadziła o głowę nieszczęśliwego, przykutego do dachu wieży pelikana.

— SKRZEK!

— Przepraszam! — zawołała dziewczynka. Leciała coraz wyżej i wyżej.

ŁUSZSZSZ!

Aż nagle opanowało ją dziwne wrażenie, jak gdyby zaczęła zwalniać, po czym zawisła na chwilę w miejscu, a stamtąd…

Mogła już tylko zacząć spadać!

Wkrótce pikowała z zawrotną prędkością.

— AAA!

W Z I U U U!

W tym momencie strój **GADŻETKI** przechodził prawdziwy sprawdzian. Czy da się w nim pofrunąć?

Heca rozłożyła zrobione własnoręcznie skrzydła i…

…FRUU!

Poszybowała między chmury.

GADŻETKA potrafiła LATAĆ!

— HA! HA! — zawołała uradowana. Pęd powietrza chłodził jej rozpalone stopy.

— ZESTRZELIĆ JĄ! — rozkazała doktorka Doktur z okna laboratorium.

CZŁOWIEK METEOR natychmiast cisnął w niebo kulami ognia.

Mijały dziewczynkę z głośnym skwierczeniem.

SKWIERK!

I wtedy DOSZŁO DO KATASTROFY! Rozżarzona kula

trafiła w skrzydła **GADŻETKI**. Heca zerknęła w bok i zobaczyła, że żagiel, którego użyła do zrobienia skrzydeł, trawił ogień. Nim zdążyła powiedzieć: „A niech to!", leciała korkociągiem w dół.

FRUUU!

Z jednym skrzydłem całym, a drugim w płomieniach nie sposób kontrolować prędkości lotu. Heca spadała zatrważająco szybko, przez co z trudem dawała radę korygować kurs rękami.

Czas przygotować się na kolizję!

Ale jeśli miała skończyć na ziemi jako plama ludzkiego dżemu, zamierzała zabrać kogoś ze sobą. Tym kimś była doktorka Doktur.

Dziewczynka poszybowała wprost na okno pracowni, skąd bezduszna nauczycielka przedmiotów ścisłych rzucała **MEGAMONSTRUM** rozkazy.

Na widok zbliżającej się Hecy oczy kobiety zrobiły się wielkie ze strachu.

— **MEGAMONSTRUM**, POWSTRZYMAJ JĄ! — krzyknęła i zeskoczyła z framugi, żeby skryć się w głębi sali.

MEGAMONSTRUM miotało się tam i z powrotem, próbując ustawić się na trasie lotu dziewczynki. Wreszcie doszło do zderzenia.

GADŻETKA wpadła na **MEGAMON-STRUM** z takim impetem, że oddzieliła Mruka i Licho od reszty i posłała ich w przestworza.

ZIUU!

Kocica i jej pan po raz pierwszy znaleźli się osobno. Jednonoga kotka oraz przysadzisty technik laboratoryjny minęli zamek i przelecieli nad klifem. Widząc, że zaraz runą do kłębiącego się od rekinów morza, starali się pofrunąć. Mruk zamachał niezdarnie dużymi rękami, a Licho wprawiła ogon w taki ruch, jakby nagle stał się wycieraczką na przedniej szybie samochodu.

MACHU-MACH-MACH!

— UUUCH!

— MIAAAU!

CHLUST! CHLUP!

To ostatnie, co dało się słyszeć, zanim zniknęli za horyzontem.

Heca była mocno poobijana i posiniaczona, ale cała. Na ziemi dostrzegła zgubione przez Mruka **hipnotyzujące okulary**. Prędko je podniosła i schowała do kieszeni.

Wtedy poczuła na sobie cień. **MEGAMONSTRUM**.

Spojrzała do góry i zawołała:

— Dzieciaki! Błagam! Nie jestem waszym wrogiem, ale przyjaciółką! Pamiętacie mnie? To ja! Heca!

MEGAMONSTRUM zawahało się na moment.

— Gdy połączymy siły, wierzę, że pokonamy prawdziwego potwora, czyli doktorkę Doktur! Klocu, mówiłeś mi, że w tej szkole każdy dba tylko o siebie. Jeśli to prawda, rzeczywiście jesteśmy bez szans. Zło zwycięży. Ale jeżeli nauczymy się działać razem, jak jedna drużyna, jeszcze możemy być potężni! Mam rację, Klocu?

ŚLIMOROTWÓR przestał się szamotać.

— Wiem, że gdzieś tam jesteś i nadal mnie słyszysz! Klocu! Mój pierwszy w tej szkole, lecz nie ostatni, przyjacielu! Kloc! Jesteś tam! Tylko nie mów: **„nie wiem"**!

— Heca? — wybąkał **ŚLIMOROTWÓR**.

— Tak! To ja! Mój ty łagodny olbrzymie! Bądź pierwszym, który zmieni się w bohatera!

— **No nie wiem!**

— Nie! Nie mów: **„nie wiem"**!

ŚLIMOROTWÓR zastanowił się chwilę i powiedział:

— TAK!

— NO! — ucieszyła się Heca. — Jednego już mamy! Jeszcze pięcioro! Skorku! Nie zaczęliśmy naszej znajomości w najlepszy sposób, ale obiecuję, że nigdy nie wypomnę ci, że pacnąłeś mnie w twarz dżemem z brudu spod paznokci!

— To był niezły numer — odezwał się **CZŁOWIEK METEOR**.

— Jeden z lepszych! Skorku, dołączysz do drużyny?

— Jasne!

— Świetnie! — Następnie Heca zwróciła się do **GIGAMEDUZY**: — No dalej, Wrzawa. To całe prężenie się i falowanie musi być fajne, ale czy mogłoby istnieć coś lepszego niż być najbardziej pyskatą dziewczyną w szkole?

GIGAMEDUZA podskoczyła parę razy na zgodę.

— SUPER!

— KOLEJ NA RESZTĘ! — krzyknął Kloc. — Fanga! Swądek! Świrka! Zróbmy tak, jak mówi nowa! Działajmy jako jedna brygada!

— Co wy na to? — dodała Heca.

Ale zanim zdążyła usłyszeć odpowiedź, poczuła, że ni z tego, ni z owego sunie do tyłu.

WZIUUUUU!

Pędziła w stronę laboratorium, dopóki nie zatrzymała się z głośnym szczęknięciem.

SZCZĘK!

Kosz na śmieci, który służył jej za pancerz, przylgnął do potężnego elektromagnesu!

Doktur sterowała urządzeniem. Stanowiło najcenniejszą część wyposażenia pracowni fizyczno-chemicznej.

— Już nie jesteś taka sprytna, co, **GADŻETKO**? — zamruczała cicho nauczycielka. Perfidna kobieta wyłączyła elektromagnes, a wtedy Heca upadła na ziemię.

BACH!

— A teraz żegnaj na zawsze!

To powiedziawszy, Doktur pchnęła blaszaną zbroję **GADŻETKI** najmocniej, jak potrafiła.

SZCZĘK!

Heca zaczęła toczyć się na skraj klifu.

WZIU-WZIU-WZIU!

Nie mogła zrobić nic, żeby się zatrzymać! Podskoczyła na wystającym kamieniu…

ŁUPS!

…i zsunęła się z klifu.

SZSZUUU!

— AAAAAAAAAAAA! — wrzasnęła.

Rozdział 48

NA KRAWĘDZI

Heca w ostatniej chwili wbiła paznokcie w ziemię i trzymała się skraju klifu z całych sił.

Strój **GADŻETKI** był ciężki, palce zsuwały się dziewczynce coraz niżej i wiedziała, że nie uda jej się podciągnąć w górę. Poczuła zbliżający się kres życia i zerknęła w dół na wzburzone morze. Jeśli nie roztrzaska się o skały, to z pewnością utonie albo zostanie pożarta przez rekiny, które kręciły się w pobliżu, gotowe w każdej chwili chapsnąć ten smaczny kąsek.

Gdy zamknęła oczy — jak sądziła po raz ostatni — coś zaczęło wciskać jej palce głębiej w ziemię. Spojrzała w górę i zobaczyła doktorkę Doktur, która stanęła na jej dłoniach.

— Dziękuję! — wykrzyknęła Heca. — Uratowała mi pani życie.

Doktur zachichotała pod nosem.

— O nie! Ja cię wcale nie ratuję. Ja się rozkoszuję! Rozkoszuję się chwilą oczekiwania na twój makabryczny koniec.

— Jest pani najpodlejszą osobą, jaką nosił świat!

— Bardzo ci dziękuję. Naprawdę się staram. Pomyśleć, że taka głupiutka dziewuszka miałaby zniweczyć mój genialny plan! Czas powiedzieć żeg...

Nauczycielka uniosła stopę.

Heca ześlizgnęła się niżej.

— AAA!

Trzymała się tylko jedną ręką i wyczuwała, jak palce przesuwają się w dół jeden po drugim.

— BŁAGAM! NIECH MI PANI NIE DA SPAŚĆ!

Kobieta uśmiechnęła się paskudnie.

— ...naj!

Nikczemna nauczycielka cofnęła drugą stopę.

Palce Hecy przeszorowały po ziemi.

DRAAAP!

Potem nie było już nic, czego można by się chwycić.

Samo powietrze.

Heca runęła do morza. Spadała i spadała. Coraz niżej.

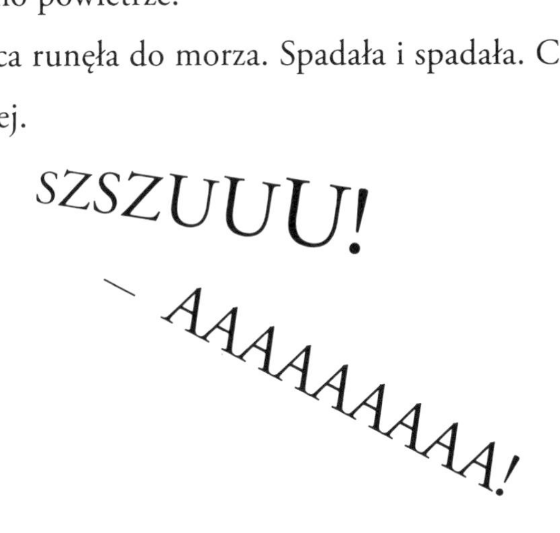

Rozdział 49

BAMS! BAMS! BAMS!

Heca obserwowała, jak spomiędzy fal wynurzają się rekiny, z paszczami szeroko otwartymi w oczekiwaniu na spadający z góry obiad.

Dziewczynka pokręciła zaworem od butli z powietrzem.

PUSTA!

Spróbowała rozłożyć przypalone skrzydła.

ZNISZCZONE!

Zrozpaczona zaczęła machać rękami.

BEZSKUTECZNIE!

Pozostało zamknąć oczy i wyczekiwać ostateczności.

Ale zagłada nie nadeszła.

Zamiast tego poczuła, że na czymś ląduje.

Bams! Bams! Bams!

Otworzyła oczy.

I zobaczyła **MEGAMONSTRUM**!

— Co...? Jak...? — zająknęła się.

Stworzenie zeskoczyło i rozpostarło swoje elastyczne ciało między skałami, tworząc wielką zieloną trampolinę!

Heca podskoczyła radośnie kilka razy.

— HURA! — zawołała. — Jesteśmy drużyną!

— TAK! — zawtórowały jej potwory.

Dziewczynka zerknęła w górę, gdzie na tle szarego nieba wyraźnie odcinała się sylwetka doktorki Doktur.

— Ale to jeszcze nie finał! — powiedziała. — Idziemy!

Rozdział 50

PASKUDNA NIESPODZIANKA

Kiedy znaleźli się z powrotem na szczycie, nauczycielka zniknęła.

— Gdzie ona się ukrywa? — zastanowiła się Heca.

MEGAMONSTRUM podrapało się po głowach.

— Na pewno w miejscu tak oczywistym, że nie przyszłoby nam do głowy, żeby tam jej szukać! — dodała.

— W TAJNEJ JASKINI! — zawołała **DINODZIEWCZYNA**.

— ŚWIRKO! Jesteś genialna!

— Naprawdę?

— TAK!

— A co to znaczy „genialna"?

— To znaczy, że jesteś bardzo, bardzo, bardzo bystra!

— WOW!

— Idziemy do pieczary! — zadecydowała Heca, a **MEGAMONSTRUM** podążyło w ślad za nią.

Zeszli po kamiennych stopniach do zamkowych podziemi i wkrótce dotarli do niewidzialnych drzwi. Gdy otworzyły się ze skrzypnięciem, dziewczynka poczuła nagły przypływ lęku. Nie chciała schodzić po krętych schodach jako pierwsza. Doktorka Doktur na pewno zastawiła na nich jakąś pułapkę.

— Ekhem, proszę, wy pierwsi — zaoferowała uprzejmie.

— Nie! Nie! Nalegamy! — namawiał BA-BOL za siebie i mamroczące niepewnie stwory.

Heca zamilkła na chwilę.

— A możemy zejść razem? — spytała prosząco.

— TAK! — z ulgą zgodzili się towarzysze.

— Boję się ciemności.

— Na widok jaskiń mam dreszcze.

— Chwyćmy się za ręce.

— Ja chcę do mamy.

— Tylko niech się nikt nie skadzi!

— Wiadomiks!

Kiedy dotarli do wnętrza jaskini, nigdzie nie dostrzegli znaku obecności doktorki Doktur, chociaż mogła czaić się gdzieś za którymś ze zwalonych głazów.

Heca podeszła pokombinować w **machinie do monsteryfikacji**. Powiodła palcami po wystających przewodach, po czym wyciągnęła jeden z nich — oznaczony napisem **POLE**

SIŁOWE — i wetknęła go do innego włącznika zasilania. Dzięki temu, gdyby doktorka szykowała dla nich paskudną niespodziankę, oni też mieli dla podłej kobiety prezent!

Tymczasem BABOL wyjął z kieszeni swojego Robalka.

— Wszystko w porządku, przyjacielu? Boisz się ciemności? — przemawiał łagodnie, po czym uniósł robaka i ucałował w oba końce, żeby mieć pewność, że trafił we właściwy.

Heca wdrapała się na kamienie, aby sprawdzić, czy nie wypatrzy gdzieś nauczycielki, ale nic z tego. Na palcach wróciła do stojącego pośrodku jaskini MEGAMONSTRUM.

— Nie ma jej! — szepnął BABOL. — Możemy iść.

— Wyczuwam tutaj jakieś zło, jestem tego pewna — odpowiedziała Heca.

I właśnie wtedy znienacka spod sklepienia groty runęła na nich szklarnia.

KLEKOT!

Zaskoczony BABOL upuścił Robalka. Dżdżownica wylądowała na podłodze i gdzieś odpełzła.

Szklana konstrukcja uwięziła Hecę i MEGA-MONSTRUM.

— NIEEEE!

— POMOCY!

— WYPUŚĆ NAS!

— PROSZĘ!

— Robalku, gdzie jesteś?

— KTOŚ SIĘ JEDNAK SKADZIŁ!

— NIC NIE PORADZĘ! TO Z TYCH NERWÓW!

Heca spojrzała w górę i na dachu cieplarni zobaczyła, dumną niczym pirat na pokładzie swojego galeonu, doktorkę Doktur.

— Tęskniliście? — zadrwiła kobieta. —

HA! HA! HA!

Rozdział 51

COŚ DZIWNEGO

Nie ujdzie to pani na sucho! — warknęła Heca.

— Już wzło! — stwierdziła Doktur. — Nie zdołacie mnie powstrzymać. Pozostało mi tylko zdecydować, w co was zamienić!

Z gracją baleriny zeskoczyła na posadzkę. W oranżerii **MEGAMONSTRUM** zaczynało wpadać w panikę.

— POWSTRZYMAJCIE JĄ!

— Spróbujmy wybić te szyby!

— Robalku? Robalku! Gdzie jesteś?

— CISZA! — zagrzmiała Doktur. — Wszystkich was i tak więzi **POLE SIŁOWE**.

Szarpnęła za dźwignię, jednak tym razem błyskawica zamiast zatańczyć na szkle rozpierzchła się po całej jaskini.

FZZZ! FZZZ! FZZZ!

Doktorka zauważyła tę anomalię, ale ją zignorowała. **Machina do monsteryfikacji** była dziełem absolutnego geniuszu i nigdy nie zawiodła.

— A teraz — powiedziała niespiesznie, żeby przeciągnąć torturę jak najdłużej. — Co byłoby dla was najgorszą metamorfozą?

Kobieta zaczęła szperać w szufladach z paskudztwami.

— Co tu wybrać? KIJANKI? ZEPSUTE ZĘBY? KUPĘ ALBATROSA? LARWY? KOCIE KŁAKI? POT SPOD PACHY? STONOGI? WOSK Z UCHA? GĄSIENICE? SER ZE STÓP? ROPUCHĘ? SZLAM? BRUD? WŁOSY Z NOSA? ODCIĘTE KCIUKI? ZGNIŁĄ KAPUSTĘ?

Wtem zorientowała się, że coś pełznie po podłodze. To był Robalek.

— O! Będzie w sam raz! Nędzny robaczek wiertaczek!

— NIE! BŁAGAM! TYLKO NIE Robalek! — zawył **BABOL**.

— NIE! NIE! — wrzasnęła Heca. — NIECH NAS PANI NIE ZMIENIA W ROBAKI!

Reszta również błagała o litość.

— A może jednak? — drażniła się jędza.

— NIE!

— Teraz kiedy tak głośno zaprotestowaliście, zdecydowanie ZAMIENIĘ was w robale!

— No dobra! — Heca postanowiła zaryzykować blef. — Niech nas pani transformuje!

— Z przyjemnością!

— NIEEEE! — złościła się dziewczynka. Znowu dała się wykiwać.

Doktorka Doktur umieściła dżdżownicę w urządzeniu.

— No dalej, mała pokrako!

Podłe babsko wcisnęło guzik na **machinie do monsteryfikacji**.

— To będzie moje

najbardziej zatrważające

dzieło!

Rozdział 52

MONSTERYFIKACJA

Potwory podniosły lament.

— NIEEEE!

— NIE W GIGAROBALA!

— BŁAGAM!

— TO JUŻ KONIEC!

W tym całym harmidrze Heca poprosiła:

— Bądźcie cicho i czekajcie!

— Niby na co? — obruszył się **BABOL**.

— Podłubałam w przewodach **machiny do monsterfikacji**.

— I?

— Przyjrzyjcie się. **POLE SIŁOWE** nie działa wewnątrz szklarni, tylko na zewnątrz!

— ALE...!

— CICHO! — upomniała dziewczynka.

Tak jak się spodziewała, ani z nią, ani z **MEGAMONSTRUM** nic się nie działo. Zupełnie nic. Za to na zewnątrz rozgrywała się całkowicie inna historia. Doktorka Doktur na ich oczach przeistoczyła się w POTWORA!

— NIEEEEEEEEEEEEEEEE! — krzyknęła Doktur, gdy zaczęła mutować. Przemieniła się w pół nauczycielkę, pół robaka.

Jej twarz stała się brązowa i kartoflowata. Robalowate ciało rozdarło ubranie, a zamiast nóg pojawił się ogon.

Hecy i przyjaciołom dopisało szczęście, gdy Wielka Glista straciła równowagę i przewróciła się na wajchę uruchamiającą dźwig szklarni.

SZCZĘK! BRZĘK! SZCZĘK!

Szklana konstrukcja w ekspresowym tempie podjechała pod sufit i rozbiła się na kawałki.

PACH!

Z góry posypały się śmiertelnie groźne odłamki szkła.

S Z U U U U!

MEGAMONSTRUM w ostatniej chwili uskoczyło na bok, ale Heca z pośpiechu się potknęła...

STUK!

... i poleciała w stronę dołu z lawą!

— NIEEEE! — krzyknęła.

Spod sklepienia lunął na nią deszcz szklanych ostrzy.

SZSZSZTUMP! SZTUMP! SZTUMP!

Przygwoździły dziewczynkę niczym noże rzucane przez cyrkowca do ludzkiej tarczy.

PRASK! PRASK! PRASK!

Uwięziona nad otworem z bulgoczącą lawą, patrzyła, jak Wielka Glista podpełza coraz bliżej i otwiera paszczę, żeby ją pożreć.

RYYYK!

Nagle **MEGAMONSTRUM** zagrodziło Gliście drogę.

SZACH!

— DOŁĄCZ DO MNIE, **MEGAMONSTRUM**! — nakłaniała potworzyca. — Będziemy rządzić nie tylko szkołą, ale także zawładniemy na zawsze światem! Możemy przemienić w potwory wszystkie dzieci na całym globie!

— NIE! — odpowiedziały chórem stwory sklejone w **MEGAMONSTRUM**.

— SZYKUJCIE SIĘ WIĘC NA POŻARCIE!

Wielka Glista rzuciła się i chapnęła kawał ręki przerażającej hybrydy.

CHAPS!

CZŁOWIEK METEOR spadł oswobodzony na podłogę. Prędko zebrał wszystkie siły i cisnął rozżarzoną kulą ognia w gigantycznego robala.

Stwór się uchylił, a ognisty pocisk trafił machinę do monsteryfikacji.

ŁUP!

Maszyna eksplodowała.

KABUUUM!

— DZIEŁO MOJEGO ŻYCIA ZNISZCZONE! — załkała Wielka Glista. — TERAZ JA WAS ZETRĘ Z POWIERZCHNI ZIEMI!

Znów rzuciła się z zębami na **MEGAMONSTRUM**. Odgryzła następną porcję lepkich smarków, co zwróciło wolność kolejnej paskudzie. Tym razem z glutomasy oderwał się **CHŁOPAK-REKIN**.

— CHAPS! CHAPS! CHAPS! CHAPS!

Dodatkowe cztery chapnięcia Wielkiej Glisty i nie tylko GIGAMEDUZA, **DINODZIEWCZYNA** i **ŚLIMOROTWÓR**, ale także **ATOMOWA AMEBA** oddzieliły się od **BABOLA**!

Wielka Glista wiła się na wszystkie strony, starając się dziabnąć krążące wokół niej szkarady. Z każdą chwilą jednak było ich coraz więcej, ponieważ ATOMOWA AMEBA przechodziła podziały, namnażała się i namnażała.

PACH! PACH! PACH!

GIGAMEDUZA skoczyła na poczwarę i najmocniej, jak umiała, przysiadła jej na ogonie.

PRASK!

— URGH! — warknęła z bólu Wielka Glista. Machnęła z całych sił ogonem...

SZAST!

...czym wyrzuciła GIGANTYCZNĄ MEDUZĘ w powietrze.

Galaretowaty potwór rąbnął w spiralne schody.

ŁUP!

Konstrukcja runęła.

TRACH! **KRACH!** ŁUP!

Ukryta jaskinia stała się

pieczarą bez wyjścia!

Rozdział 53

O WŁOS OD POŻARCIA

Na domiar złego, Heca była o włos od pożarcia przez wielgachnego robala. Miała skończyć jako pokarm dla dżdżownic — w dodatku grillowany na wolnym ogniu, bo gorąco buchające z lawy zaczynało ją przypiekać! Jedyna droga ratunku to uwolnić się z przykuwających ją odłamków! Chociaż mocno się prężyła, szkło ani drgnęło.

— UCH! — stękała szamocząca się dziewczynka.

— Ty wznieciłaś tę rewolucję, Heco. Teraz zakończymy ją raz na zawsze! — oznajmiła Wielka Glista i otworzyła paszczę, żeby zadać jej pierwsze śmiertelne dziabnięcie. W tej samej chwili Heca przypomniała sobie, że w kieszeni miała **hipnotyzujące**

okulary. Z wielkim trudem włożyła je na nos i przycisnęła guzik z boku oprawek.

— NIE! NIE! — przeraziła się **Wielka Glista**. — Tylko nie **hipnotyzujące okulary**.

Pod wpływem działania spirali potwór najpierw zamarł w bezruchu, a potem zaczął osuwać się wprost na dziewczynkę. Obie czekała kąpiel we wrzącej lawie!

— RATUNKU! — krzyknęła Heca.

Wtedy **BABOL** przykleił dłoń do zrobionego z blaszanej puszki hełmu, który dziewczynka miała na głowie, i wyszarpnął ją z pułapki.

FRRRU!

— NIEEEE! — zawyła **Wielka Glista**, ale nic jej to nie pomogło. Runęła w otchłań krateru.

S K W I E R K!

Gdy pochłaniała ją lawa, z ciała zmutowanej nauczycielki wydobył się podobny do gęstego budyniu, żółty śluz.

ŚLURP!

— BABOLU, uratowałeś mi życie! — sapnęła Heca.

— Cóż, nieuprzejmie byłoby nie spróbować — odparł.

— Wiedziałeś, że każdy może wskoczyć do wulkanu? Ale tylko raz! — zażartowała.

— Nie wierzę, że nawet w takiej chwili dowcipkujesz!

BUCH! BUCH! BUCH!

Wielka Glista wywołała w wulkanie reakcję wybuchową. Z krateru zaczęła tryskać lawa.

— Masz rację! Musimy się stąd wynosić! I to szybko!

BABOL piorunem doskoczył do machiny do monsteryfikacji, żeby uratować Robalka.

— Odrobinę osmalony, ale przeżyjesz — rzekł, kiedy przyjrzał się zwierzątku. — Zabierajmy się stąd!

— Przecież schody są zburzone! — zawołała GIGAMEDUZA. — Przeze mnie nigdy się stąd nie wydostaniemy!

— Nie ma rzeczy niemożliwych! — przekonywała Heca. — Musi istnieć jakiś sposób!

— Wpadłem na niezły pomysł. Wsiadajcie na mój grzbiet! — powiedział **CHŁOPAK-REKIN**. — Możemy podpłynąć do niewidzialnych drzwi.

I tak zrobili.

CHŁOPAK-REKIN z mozołem dowiózł ich do ujścia jaskini.

SZUUU!

Płynna lawa tryskała coraz wyżej.

BUCH! BUCH! BUCH!

Wulkan, na którym zbudowano zamek, rozpoczął erupcję!

Nasi bohaterowie ledwo zdołali śmignąć przez niewidzialne drzwi, nim jaskinia eksplodowała.

Rozdział 54

WULKAN

Był środek nocy, a pod zamczyskiem właśnie obudził się wulkan. Musieli uratować resztę dzieciaków.

Gdy tylko znaleźli się na szkolnym dziedzińcu, Heca wydała potworom polecenia:

— TRZEBA WSZYSTKICH UWOLNIĆ! CO DO OSTATNIEGO! PRZESZUKAJCIE POKOJE!

DINODZIEWCZYNA wyważyła pierwsze drzwi i oswobodziła jednego z uczniów.

BACH!

ŚLIMOROTWÓR nie chciał być gorszy i zaatakował inne drzwi.

BUM!

Każdy stwór chciał pokazać, co potrafi. Raz-dwa rozprawiły się z zamkniętymi na klucz pokojami.

BAM! TRACH! KRACH! ŁUBU-DU! PYCH!

Kiedy udało się zgromadzić całą szkołę, Heca zawołała:

— Nie bójcie się tych potworów! Powtarzam! NIE OBAWIAJCIE SIĘ POTWORÓW! To długa historia, a na opowieści nie mamy teraz czasu, bo (proszę was, zachowajcie spokój!) szkołę zaraz zniszczy erupcja wulkanu!

Cóż, jeśli istnieje dobry sposób na wywołanie paniki, to na pewno jest nim powiedzenie

ludziom, żeby zachowali spokój, po czym dodanie, że właśnie doszło do erupcji wulkanicznej!

Natychmiast wybuchła panika!

— STOP! — Heca usiłowała przekrzyczeć hałas, ale nikt jej nie słuchał.

— RYYYK! — ryknęła **DINODZIEWCZYNA** i od razu zapadła cisza.

— Dziękuję, **DINODZIEWCZYNO**. Słuchajcie, tak naprawdę widzicie naszą Świrkę! — Dzieci patrzyły na pół dziewczynę, pół dinozaura z niedowierzaniem. — Wspominałam wcześniej, że to długa historia. Jeśli chcecie wydostać się z zamku cali i zdrowi, chodźcie za mną! Tędy!

Dziewczynka uniosła wysoko rękę i pomaszerowała korytarzem jak najdalej od magmy, która nieubłaganie wdzierała się do zamku.

Tuż za rogiem jednak drogę zagrodził im personel **AKADEMII BEZLITOSNEJ**.

— Dokądś się wybieracie? — zapytał Wściub stojący na czele hordy.

Za nim sterczeli Popłuczyna, Cyferką, Ględzik,

Umoczek, profesorka Doktur, Smoła, Kulka, Gąszcz, a nawet tajemniczy przewoźnik.

— Owszem. Uciekamy przed eksplozją wulkaniczną — wyjaśniła Heca.

— Z **AKADEMII BEZLITOSNEJ** się nie ucieka! — padła złowróżbna odpowiedź.

— Oj, niech pan nie będzie jak wrzód na zadku — zirytowała się dziewczynka. — Pozwólcie mam przejść. I tak wszyscy jesteście mechanicznymi sobowtórami. Doktorka Doktur was skonstruowała i nazwała **zegarobotami**!

— **Zegaroboty**!? — zdziwili się pracownicy szkoły.

— To nieprawda! — zaprzeczył Wściub.

— Właśnie że prawda!

Dozorca popatrzył na współtowarzyszy, dając znak, że powinni się wtrącić.

— NIE JESTEŚMY żadnymi robotami!

— Jesteście!

— NIE JESTEŚMY!

— Jesteście!

— NIE JESTEŚMY!

— Słuchajcie, szkoda tracić czas! — powiedziała stanowczo Heca.

— **SERWUS!** — pisnęła pani dyrektor, której kończyny nadal tkwiły w niewłaściwych miejscach. — **SERWUS! SERWUS! SERWUS!**

— Dyrektorka na pewno jest **zegarobotem**! Wystarczy na nią spojrzeć. — Wskazała dziewczynka.

Wściub odwrócił się i popatrzył na kobietę krytycznie.

— Racja, przyznaję. Wygląda nieco **zegarobotycznie**! Ale tylko ona! — rzekł i wrócił do blokowania im przejścia.

— Możecie mi wierzyć na słowo. Wszyscy jesteście **zegarobotami**! — upierała się Heca. — Niby dlaczego każde z was **tyka**?

— My tykamy?

— TAK! — odparły zgodnie i dzieci, i potwory.

Niedaleko za dozorcą oraz resztą pracowników szkoły Heca dostrzegła podkradającą się ku nim lawę.

SKWIERK!

— **Zegaroboty**! Uwaga! Za wami!

— Nie dam się nabrać na ten stary numer! — prychnął Wściub.

— Mówię poważnie. Niech pan patrzy!

— Myślisz sobie, że co to jest? Zabawa w pantomimę?

Lawa dosięgła **zegaroboty**, ale zupełnie nie poczuły jej palącego żaru, i nic dziwnego, skoro Doktur zbudowała je z metalu.

— TERAZ W TĘ STRONĘ! — zadecydowała Heca. Uczniowie się rozstąpili, a dziewczynka poprowadziła ich z dala od niebezpieczeństwa.

— **SERWUS!** — powiedziała profesorka Doktur. — **SERWUS! SERWUS! SERWUS!**

Wściub westchnął z frustracji.

— Niechże pani sobie daruje!

Rozgrzana do białości lawa wreszcie rozpuściła ich woskową skórę. Teraz wyraźnie widać było metalowe szkielety sobowtórów.

— Ja? Ja też jestem **zegarobotem**? — zdziwił się dozorca, gdy zerknął na swoje stalowe ręce i nogi. —

Coś podobnego! Ale mniejsza z tym!

GOŃMY ICH!

Rozdział 55

METALOWE SZKIELETY

Wszędzie tam, gdzie Heca kierowała się z dziećmi i potworami, napotykali tylko lawę, lawę i więcej lawy.

— Spróbujmy uciec po dachu! — zawołała. Kolejno pomogła każdemu wdrapać się przez okno na samą górę. Potwory wczołgały się tuż za dziećmi.

— Panie przodem! — rzekł BABOL.

— Nie! Nie! Nie! — odparła Heca. — Baby przodem!

Przyjaciel roześmiał się i wychynął na zewnątrz.

Dziewczynka była już w połowie drogi na dach, gdy ktoś lub coś chwyciło ją za nogę.

— NIEEE!

Kiedy się odwróciła, zobaczyła metalowy szkielet Wściuba oraz ręce pozostałych **zegarobotów**. Doliczyła się tam nawet nadprogramowych palców pana Cyferki.

Blaszany hełm z puszki po ciastkach znów się przydał. Heca zdjęła go i zaczęła okładać nim roboty po łapach.

BRZDĘK! BRZĘK! BRZDĄK!

Tymczasem lawa podpływała pod sam sufit. Gdy dziewczynka strąciła z siebie ostatnią metalową dłoń, zegaroboty zatonęły w gorącej magmie.

— NIEEEEE! — zdążyły wrzasnąć, zanim na zawsze zostały uwięzione w płynnej skale.

Heca pobiegła dogonić towarzyszy, ale podnoszący się poziom rozpalonej lawy zaczynał topić dach zamczyska. Strop zapadał się pod jej nogami przy każdym kroku.

Biedny szkolny pelikan wciąż tkwił przykuty do jednej z wież.

— SKRZEK! SKRZEK! SKRZEK! — Ptak wyczuwał gorąco wulkanu i darł się z przerażenia.

Heca przystanęła, żeby go wyswobodzić. Ucałowała ptaka w dziób i podrzuciła z okrzykiem:

— LEĆ! LEĆ KU WOLNOŚCI, BIEDNY SKRZYDLATY NIEWOLNIKU!

Ale gdzie tam! Pelikan, zamiast odfrunąć, spadł Hecy na głowę.

Natychmiast pożałowała, że pozbyła się swojego blaszanego hełmu. Nieszczęsne ptaszysko zapewne tyle czasu nie latało, że całkiem wyszło z wprawy.

Heca przyspieszyła kroku. Dach osuwał się coraz szybciej spod jej stóp. Przed sobą zobaczyła, jak ostatnie z potworów zsuwają się po rynnie przy ścianie budynku.

SIUUP!
SIUUP!
SIUUP!

— Trzymaj się mocno! — powiedziała do pelikana, zanim i oni zjechali razem.

SIUUP!

— Ładny kapelusz! — dowcipkował **BABOL**.

— Nic nie mów! — odpowiedziała dziewczynka. — DO ŁODZI!

Dzieci i stwory ruszyły na skraj klifu, gdzie trzymano szkolną łódkę. Jedno za drugim zeszły po drabince linowej.

Ułamek sekundy po tym, gdy przyszedł czas na Hecę i pelikana, wulkan gwałtownie wybuchł i zabrał kamienną twierdzę ze sobą.

Uciekinierzy zdążyli zapakować się do łodzi i odepchnąć od skał tuż przed tym, jak cała wyspa pogrążyła się w morzu.

W jednej chwili — jakby śnili tylko zły sen — **AKADEMIA BEZLITOSNA** przestała istnieć. Zamek poszedł na dno, gdzie nikt nigdy go nie odnajdzie.

— WOW! — odezwała się Heca. — Nie mogę uwierzyć, że przepadł.

— Zniknął na zawsze! — ucieszył się **BA-BOL**.

— TAK! —

zawołały

radośnie

dzieciaki i potwory.

Rozdział 56

MORZE CZARNE JAK ATRAMENT

Dzieci powiosłowały łódką na otwarte morze. Było czarne jak atrament, a dookoła — spokojnie i cicho. Aż za spokojnie. I za cicho. Niebezpieczeństwo czaiło się tuż-tuż. Z głębi mrocznych wód wyłaniały się ponure kształty.

REKINY!

Z początku okrążały łódź, pokazując tylko złowrogie płetwy grzbietowe, ale wkrótce ponad powierzchnię wody wynurzyły się kłapiące szczęki.

Unoszona przez fale łódka się zachybotała, kiedy wszystkich zaskoczyła KOLEJNA NIEMIŁA NIESPODZIANKA. Ze skrzyni pod siedziskiem wysunęła się sękata dłoń i chwyciła Hecę za kostkę.

— AAA! — krzyknęła, wystraszona.

— HMM! — mruknął Mruk i wylazł z kryjówki. Z nieodłączną, jednonogą i jednooką kotką Licho na łysej głowie.

— PRYCH! — syknęła i zatopiła zęby w drugiej kostce dziewczynki.

— JAJKS! — pisnęła Heca.

Mruk wyprostował się i chciał wypchnąć Hecę za burtę, podczas gdy Licho próbowała łapą boksować ją po twarzy.

Ostre kocie pazury znalazły się o milimetr od nosa dziewczynki.

— DAJCIE WIOSŁO! — ryknął BABOL.

Wyciągnął długą, zieloną i lepką rękę, chwycił ich jedyne wiosło, a potem zamachnął się drewnianą bronią i…

— A MASZ!

…zadał cios.

Siła uderzenia wyrzuciła Mruka i jego kocią towarzyszkę wprost do wody.

BABOL sięgnął wiosłem w stronę Mruka i zawołał:

— ZŁAPCIE SIĘ!

Kocica wyskoczyła z wody i jedną łapą podciągnęła się na drewniany kij.

Jej pan nie miał tyle szczęścia. Kiedy próbował się chwycić, największy, najbardziej wygłodniały z drapieżców wciągnął go pod wodę.

KŁAP!

— HMM! — mruknął Mruk po raz ostatni.

Na chwilę zapanowała cisza, po czym rekin wynurzył się i wydobył z siebie przeogromniaste BEKNIĘCIE.

— BEK!

Wtedy z paszczy zwierza wyskoczył metalowy szkielet.

C H R Z Ę S T!

Przeleciał kawałek w powietrzu i wylądował w wodzie.

PLUSK!

— Mruk też był **zegarobotem!** — zawołała Heca.

Jeszcze do niedawna tak wrogo nastawiony do niej dachowiec zwinął się dziewczynce na kolanach. Kotka zaczęła mruczeć jak najsłodszy pupil pod słońcem.

— MRRRRR!

Heca przyjrzała się zwierzęciu. Nagle kocica wyglądała tak przeuroczo, że nie mogła się oprzeć i ją pogłaskała. Pelikan za to miał na ten temat inne zdanie i narobił kotce do jedynego oka.

PLASK!

— PRYCH!

Rozdział 57

ESKADRA POTWORÓW

Wkrótce na horyzoncie pojawiły się gościnne światła wybrzeża.

— Mówiłam tej okropnej pannie Człapalskiej, że stamtąd ucieknę — powiedziała Heca. — Nie wiedziałam tylko, że zabiorę wszystkich ze sobą. Nawet pelikana!

— Byliśmy przekonani, że ucieczka jest niemożliwa — przyznał BABOL.

— Nie ma rzeczy niemożliwych! — przypomniała mu z uśmiechem Heca.

— Dokonałaś wielkiej rzeczy, przyjaciółko! Zwróciłaś nam wolność!

— To my tego dokonaliśmy, pamiętasz? — odparła dziewczynka. — Ale tylko dzięki temu, że działaliśmy razem.

— SKRZEK! — zgodził się pelikan z wygodnego gniazda na jej głowie.

— RAZEM! — zawołały jednym głosem dzieci i potwory. Byli teraz szczęśliwą ferajną dobrych przyjaciół.

Nie minęło wiele czasu, a znaleźli się bezpiecznie na lądzie.

Dzieciaki uściskały się wzajemnie, uradowane, że wróciły do świata.

— Chyba czas się pożegnać — odezwał się **BABOL**.

— Na pewno musimy? — spytała Heca, z kocicą na rękach.

— Co masz na myśli?

— A gdybyśmy tak zostali drużyną potworów? Moglibyśmy naprawiać krzywdy wyrządzane dzieciom na całym świecie! Nazywalibyśmy się

ESKADRA POTWORÓW!

— Wchodzę w to! — zgodził się **BABOL**.

— Z wielką chęcią przyłączę się do Eskadry Potworów — stwierdził **CHŁOPAK-REKIN**.

— Ja też! — dodała **DINODZIEWCZYNA**.

— I ja! — zawtórowała im **GIGAMEBUZA**.

— I ja też! — zgłosił się **CZŁOWIEK METEOR**.

— Jestem gotów! — rzekł **ŚLIMOROTWÓR**.

— Nie zapomnijcie o mnie! — wtrąciła **ATOMOWA AMEBA**.

— Ani o mnie!

— Ja też chcę!

— I ja! — dorzuciło swoje trzy grosze jej potomstwo.

— MIAU! — miauknęła Licho.

— SKRZEK! — skrzeknął pelikan.

— PIII! — pisnął osmalony Robaczek z kieszeni BABOLA.

— W takim razie wzbijmy się w przestworza! — zawołała Heca. — I znajdźmy dla

Eskadry Potworów

pierwszą misję!

Wszyscy zajęli miejsca na grzbiecie **CHŁOPAKA-REKINA** i śmignęli wysoko w nocne niebo.

Nadszedł czas na

zupełnie nową przygodę.

KONIEC...?

Jeśli spodobała Ci się
powieść

MEGA MONSTRUM

to być może zechcesz
przeczytać inne książki
Davida Walliamsa!

CÓŚ

Poznaj rodzinę Potulnych!

Pelargonia Potulna ma wszystko, czego tylko zapragnie. Ale wszystko jej nie wystarcza. Chce więcej, więcej i więcej! Pewnego dnia oznajmia rodzicom, że mają znaleźć dla niej cóś.
Tylko co to jest CÓŚ?

Państwo Potulni podejmą każde ryzyko, żeby ich ukochana córeczka była szczęśliwa! Zejdą nawet w głąb bibliotecznych lochów i przewertują zakurzone stronice tajemniczej *Potworopedii*.
W niej właśnie wyczytają, że tropy do Cósia wiodą w głąb najdżunglistszej dżungli, którą zamieszkują przedziwne stwory…

Czy wśród nich będzie CÓŚ?

GLUCIAK

Witaj na wyspie Guano Albatrosa!

Ten maleńki spłachetek ziemi stał się domem dla wielu koszmarnych dorosłych, którzy zrobią wszystko, żeby uprzykrzyć dzieciom życie.

Czy znajdzie się śmiałek gotowy stanąć w obronie najmłodszych?

Poznaj Neda, chłopca obdarzonego niezwykłą mocą. GLUTOMOCĄ!